'Mae llyfrau **Alys** Judi ... dathlu
cyfeillgarwch, hiwmor ...

Alys Drws Nesa

addasiad Eleri Huws o
Alice Next Door, Judi Curtin

Darluniau gan Woody Fox

Gwasg Carreg Gwalch

Cyhoeddwyd yn Saesneg yn Iwerddon gan wasg O'Brien: 2005

Cynllun clawr: Nicola Colton

Cyhoeddir yn Gymraeg gan Wasg Carreg Gwalch
Addasiad: Eleri Huws

Rhif Llyfr Safonol Rhyngwladol:
978-1-84527-631-7

Cyhoeddwyd gyda chymorth Cyngor Llyfrau Cymru

Dylunio'r clawr Cymraeg: Eleri Owen

Cyhoeddwyd gan Wasg Carreg Gwalch,
12 Iard yr Orsaf, Llanrwst, Dyffryn Conwy, Cymru LL26 0EH.
Ffôn: 01492 642031
Ffacs: 01492 642502
e-bost: llyfrau@carreg-gwalch.com
lle ar y we: www.carreg-gwalch.com

Argraffwyd a chyhoeddwyd yng Nghymru

Cyflwynedig i

Mam a Dad

J.C.

Pennod 1

Yn ôl Hafwen Huws, fi yw'r ferch bertaf yn y byd i gyd. Mae fy llygaid yn las fel y môr, meddai hi. A phan fydd yn brwsio fy ngwallt, mae hi wastad yn dweud ei fod yn feddal fel sidan.

Ond dyna fe – rhaid iddi ddweud y pethau 'na, sbo. Wedi'r cyfan, mae hi'n fam i mi. Dyna'i gwaith hi.

Mae gan Mam ddigon i'w ddweud ar bob pwnc dan haul. Weithiau dwi'n trio'i chael hi i dawelu tipyn, ond dyw hi'n cymryd dim sylw.

Yn ôl Mam, mae mam Alys, fy ffrind gorau, yn hen sguthan – ond dyw hi ond yn dweud hynna os yw hi'n meddwl 'mod i ddim yn gwrando.

Sdim ots, beth bynnag, gan fod Alys a'i mam wedi symud i fyw i Gaerdydd. Mae'i thad yn dal i fyw drws nesa i ni, ond pa iws yw hynny i mi? Wnaiff e ddim ymarfer pêl-rwyd gyda fi, na chwarae Monopoly, na gorwedd ar lawr fy stafell wely'n gwrando ar gerddoriaeth a chwerthin ar ddim byd.

Pan soniodd Alys ei bod yn gorfod symud, ro'n i'n meddwl y byddai hi'n treulio'r penwythnosau gyda'i thad. Bydden ni'n dal i allu bod yn ffrindiau. Dyna beth sy'n digwydd mewn llyfrau a ffilmiau. Ond dyw bywyd go iawn ddim fel'na.

Fe wnaeth mam Alys rywbeth slei iawn – trefnodd fod Alys a Jac, ei brawd, yn cael gwersi piano bob pnawn Sadwrn. Mae hynny'n golygu, wrth gwrs, taw dim ond adeg gwyliau ysgol y bydd y ddau'n gallu dod i Aberystwyth. Os bydd eu tad am eu gweld ar unrhyw adeg arall, bydd raid iddo fe deithio i Gaerdydd. Wel, mae'n fis Medi nawr, a fydd dim gwyliau eto am *oesoedd*. Dywedodd Mam wrtha i am beidio bod yn rhy obeithiol gan y bydd Lisa (mam Alys) yn siŵr o feddwl am ryw reswm pam na allan nhw ddod i weld eu tad. Ond rhaid i mi obeithio. Beth arall alla i wneud?

Ac mae'n rhaid i mi wynebu mynd i'r ysgol fory. Hwn fydd y tro cyntaf i Alys a fi beidio bod yn yr un dosbarth. Fe ddechreuon ni gyda'n gilydd yn yr ysgol feithrin, ac ry'n ni gyda'n gilydd byth ers hynny. Roedden ni'n ffrindiau pan dywalltodd Alys gwpanaid o laeth dros ei dillad, a gorfod gwisgo'r hen drowsus brown, craflyd, roedd yr athrawes yn ei gadw yn y drôr dillad ail-law. Ac roedd pawb yn meddwl bod Alys wedi gwlychu'i nicyrs.

Doedd Alys byth yn chwerthin pan oedd Mam yn rhoi ffyn moron a seleri yn fy mocs bwyd, a photel o ddŵr tap i'w yfed. Hi oedd yr unig un i beidio gwneud hwyl ar fy mhen pan oedd raid i mi fynd i'r ysgol mewn teits wedi'u clytio – ar ôl i Mam ddweud taw gwastraff arian oedd eu taflu i'r bin oherwydd un twll bach. (Cynigiais fyw heb uwd organig am wythnos er mwyn cynilo i brynu teits newydd – ond doedd Mam ddim yn gwerthfawrogi'r jôc.)

Do'n innau byth yn chwerthin pan oedd mam Alys yn anghofio rhoi cinio iddi, a'r athrawon yn gorfod gofyn i bawb rannu gyda hi – fel arfer, y peth mwyaf ych a fi, sogi a di-flas oedd yn eu bocs bwyd. Un tro, roedd yn rhaid iddi gymryd brechdan wy gan Twm, oedd heb olchi ei ddwylo ers tua pum can mlynedd. Diolch byth, llwyddais i'w rhoi yn y bin heb i Twm weld. Dyna beth mae ffrindiau'n dda, ontefe?

* * *

Ddoe roedd Alys a'i mam yn symud, er bod y cyfan ar y gweill ers wythnosau. Yn ôl mam Alys, roedden nhw'n gwahanu am nad oedden nhw'n 'dod 'mlaen'. Ond dwedodd Mam y bydden nhw wedi 'dod 'mlaen' yn iawn tasai tad Alys wedi cael codiad cyflog yn y gwaith, a gallu prynu BMW arian ar gyfer ei wraig. Fyddai Lisa byth yn fodlon yn byw mewn tŷ pâr tair stafell wely, a gyrru car pedair oed.

Wrth gwrs, pan oedd Mam yn dweud hyn i gyd wrth Anti Ann ar y ffôn, doedd hi ddim yn sylweddoli 'mod i'n gwrando. Fe ddylai fod yn fwy gofalus.

Roedd ffarwelio gydag Alys yn ofnadwy. Petaen ni mewn ffilm, mae'n debyg y byddwn i wedi llefain y glaw, a rhoi cwtsh mawr iddi, gan ddatgan yn uchel y bydden ni'n ffrindiau am oes. Ond nid dyna ddigwyddodd. Ro'n i jest yn teimlo'n drist iawn.

'Hwyl, Al,' dwedais.

'Hwyl, Meg,' dwedodd hithau.

Fel arfer, doedd byth digon o amser i ddweud popeth oedd ar fy meddwl wrth Alys. Ond y diwrnod hwnnw, fedrwn i ddim meddwl am unrhyw beth i'w ddweud wrthi.

'Cofia e-bostio'n aml,' meddai Alys mewn llais bach.

'Wrth gwrs,' atebais. 'Bob dydd. Dwi'n addo.'

Gwenodd Alys – rhyw wên fach stiff. 'A chofia ddweud "helô" wrth Mirain Mai drosta i.'

Ochneidiais. Mirain Mai yw'r ferch gasaf yn y byd i gyd. Mae Alys a fi wedi'i chasáu hi ers y tro cyntaf i ni ei gweld. Nawr bydd raid i mi ei chasáu ar ben fy hun – a fydd hynny ddim yn hwyl.

Gosododd mam Alys ei bag llaw lledr ar sedd flaen y car, ac eistedd yn sedd y gyrrwr. 'Dere, Alys,' meddai. 'Rhaid i ni fynd, neu fe fyddwn ni'n sownd mewn traffig. Bydd yn amser te cyn i ni gyrraedd Caerfyrddin.'

Ro'n i'n gwybod yn iawn na fyddai traffig trwm ar y penwythnos, ond dyna ni. Ddwedodd Alys 'run gair, dim ond eistedd yn y car a helpu Jac i gau ei wregys. Taniodd ei mam yr injan, ac i ffwrdd â nhw.

Codais fy llaw nes eu bod o'r golwg. Chymerodd hynny fawr o amser – rhyw dair eiliad a hanner, falle.

Rhoddodd Mam gwtsh i mi wrth i ni gerdded yn ôl i'r tŷ, a chynnig gwneud smŵddi i mi. Fel tase hynny'n helpu! Fuasai hyd yn oed Coke enfawr ddim yn gwneud i mi deimlo'n well – a doedd dim gobaith caneri y byddwn i'n cael cynnig un o'r rheiny!

Yn nes 'mlaen, aeth Mam â fi i siopa. Cefais ddewis dau lyfr newydd, wedyn prynodd Mam grys-T, sgrynshi gwallt a chylchgrawn i mi. Pan welais y cylchgrawn, fe wyddwn ei bod hi wir yn teimlo trueni drosta i. Y tro diwethaf iddi brynu cylchgrawn i mi oedd pan fu'r pysgodyn aur farw. (Roedd e wedi troi'n lliw tywyll, ych a fi, ac roedd lympiau mawr i lawr ei gefn. Ro'n i'n falch ei fod wedi marw. Diolch byth, doedd Mam ddim yn sylweddoli hynny, ac roedd yn well o lawer gen i gael y cylchgrawn!)

Ond roedd pethau'n wahanol y tro hwn. Doedd dim pwynt mewn darllen cylchgrawn ar ben fy hun, heb Alys. Roedd hi'n gwneud popeth yn fwy o hwyl, rywsut. Hyd yn oed pethau na ddylen nhw fod yn hwyl o gwbl.

Pan gyrhaeddon ni adre gofynnodd Seren, fy chwaer fach, a gâi hi ddarllen y cylchgrawn. Dyw hi ddim yn gallu darllen, ac fe rwygodd ddwy o'r tudalennau, ond do'n i ddim yn becso.

Pennod 2

Dyna fy niwrnod cyntaf ym Mlwyddyn 6 ar ben. Fy mlwyddyn olaf yn yr ysgol gynradd. Y tro diwethaf i mi gerdded i mewn i'r hen adeilad hyll 'na ar ddechrau blwyddyn ysgol newydd. Y tro cyntaf erioed i mi wneud hynny heb Alys wrth fy ochr.

Roedd e'n ofnadwy. Yr un hen bethau ag arfer – fel bod yr unig un â'i llyfrau wedi'u gorchuddio mewn sgraps o bapur wal yn hytrach na chloriau plastig sgleiniog. A'r unig un heb bensiliau lliw na phinnau-ffelt newydd sbon. Roedd Mam wedi gwneud i mi chwilota drwy bentwr o hen stwff lliwio am set o bensiliau – ond roedden nhw i gyd yn wahanol, ac yn frwnt.

Doedd Mam ddim yn becso. 'Bydd pensiliau pawb yn frwnt o fewn wythnos,' meddai, 'ac o leia fyddi di ddim yn ychwanegu at y broblem sbwriel.'

Mae sbwriel yn obsesiwn gan Mam. Bob tro dwi'n gofyn am rywbeth, ei hymateb hi yw, ''Smo'i angen e arnat ti. Fydd e ond yn mynd i'r sbwriel yn y diwedd.'

Beth bynnag, yn ogystal â'r pethau ofnadwy ddigwyddodd, roedd 'na bethau gwirioneddol *erchyll* o ganlyniad i'r ffaith fod Alys ddim yno.

'Gewch chi ddewis ble i eistedd heddiw, blant,' meddai Miss Meredydd, ein hathrawes newydd, 'gan mai heddiw yw diwrnod cyntaf y tymor.'

Dyna'r peth gwaethaf ddigwyddodd. Sgrialodd Mirain Mai a'i ffrindiau i'r rhes gefn, ac eistedd yno'n gwenu fel giât. Eisteddodd y bechgyn i gyd gyda'i gilydd, fel bob amser, ac eisteddodd Elen ac Ela, yr efeilliaid, drws nesa i'w gilydd mewn clwb bach o ddwy. Yr unig ferched ar ôl oedd Nia a fi.

Mae gan Nia a fi lawer yn gyffredin erbyn hyn. Does ganddon ni ddim ffrindiau. Neb. Yr unig wahaniaeth yw, dyw Nia ddim yn eu haeddu. Mae hi'n dal i gario clecs am bobl, ac yn credu bod pawb heblaw hi'i hun yn 'hynod o anaeddfed'. Rhwng y ffaith fod ei gwallt yn fyr fel un bachgen, a'i bod yn gwisgo helmed i seiclo i'r ysgol, does dim byd yn cŵl ynghylch Nia.

Safodd y ddwy ohonom ar ochr y stafell ac edrych ar ein gilydd. Wyddwn i ddim p'un fyddai waethaf – eistedd ar ben fy hun, neu gyda Nia. Yn y diwedd, doedd dim dewis. Dim ond dwy sedd wag oedd 'na, a'r rheiny yn y rhes flaen, yn cyffwrdd â desg Miss Meredydd.

Dau ddewis oedd gen i – naill ai rhedeg mas, neu eistedd. Penderfynais fod yn ddewr ac eistedd yn un o'r seddau gwag. Eisteddodd Nia yn y llall. Tynnodd ei chas pensiliau Barbie o'i bag, a threfnu'i gynnwys ar y ddesg. Ac nid anrheg gan ryw fodryb wallgo oedd y cas pensiliau chwaith – roedd Nia wedi'i brynu ei hun gyda'i harian poced. Gallwn glywed Mirain Mai yn piffian chwerthin y tu ôl i mi. Wnes i ddim troi i edrych arni.

Mae'n hen bryd i mi sôn wrthot ti am Mirain Mai. Mae hi'n bert, mewn rhyw ffordd falch, welwch-chi-fi. Dyw hi byth yn clymu'i gwallt hir melyn, sgleiniog yn ôl, ond yn hytrach yn ei adael i chwifio'n ysgafn o gwmpas ei hwyneb fel rhyw dywysoges mewn straeon tylwyth teg erstalwm. Pan fydda i'n gadael fy ngwallt yn rhydd, dwi'n edrych yn debycach i wrach.

Mae'r athrawon yn meddwl y byd o Mirain Mai. Chi'n gweld, mae hi'n llwyddo i'w twyllo nhw. Does gyda nhw ddim syniad pa mor erchyll yw hi mewn gwirionedd. Pan maen nhw o gwmpas mae hi'n neis-neis, fel lwmp o siwgr candi. Ac o feddwl pa mor aml mae'r athrawon yn dweud wrthon ni am beidio â barnu pobl yn ôl eu golwg, mae'n beth od eu bod nhw wedi cwympo mewn cariad â gwên ddiniwed Mirain Mai, a'i harddwch arbennig.

Mae gan Mirain Mai glwb cyfrinachol. Does dim rheolau na chyfrineiriau na dim byd felly – mae'r aelodau'n credu eu bod yn rhy cŵl ar gyfer y math yna o beth. Grŵp mawr o ferched y'n nhw, sy'n meddwl bod Mirain Mai yn seléb; maen nhw'n treulio'u hamser yn ei chwmni gan ganmol ei gwallt a'i dillad trendi, a chwerthin ar ei jôcs.

Doedd Mirain ddim yn hoffi Alys a fi. Dwn i ddim pam. Doedd Alys ddim yn becso taten, a phan oedd Alys gyda fi do'n innau ddim chwaith. Ond, heb Alys, roedd popeth drwg yn teimlo'n waeth rywsut. Bob tro roedd Mirain yn chwerthin, ro'n i'n sicr ei bod yn chwerthin am fy mhen i. A bob tro roedd ei ffrindiau'n sibrwd wrth ei gilydd, ro'n i'n bendant eu bod yn dweud pethau cas amdana i.

Ar ddiwedd y dydd, cerddais adre ar fy mhen fy hun, a 'nghalon yn torri wrth feddwl am Alys. Am y tro cyntaf erioed, roedd y daith yn teimlo'n ddiddiwedd.

'Sut oedd dy ddiwrnod di, bach?' gofynnodd Mam ar ôl i mi gyrraedd adre.

'Iawn,' atebais, er nad oedd unrhyw beth yn ei gylch yn 'iawn' mewn gwirionedd.

Doedd gen i ddim byd i'w wneud ar ôl yr ysgol. Dyma'r amser ro'n i fel arfer yn ei dreulio yng nghwmni Alys. Mewn ffordd, ro'n i'n difaru nad oedd gen i waith cartre – o leia wedyn byddai gen i rywbeth i'w wneud. Ond fiw i mi ddweud wrth Mam 'mod i'n bôrd. Mae hi wastad yn ymateb yn yr un ffordd, gan ddweud y byddai hi wrth ei bodd yn cael cyfle i fod yn bôrd . . . ac os nad oedd gen i waith i'w wneud yna gallwn dacluso'r drôr sanau, neu wneud y smwddio.

Ond, yn sydyn, dywedodd Mam yn glên, 'Pam na ei di ar y cyfrifiadur i weld os oes 'na e-bost gan Alys?'

Doedd 'na ddim. Mae'n siŵr ei bod yn rhy brysur yn cael hwyl gyda'i ffrindiau newydd, ffansi yng Nghaerdydd. Neu'n cynllunio'i pharti Clwb Cysgu Cŵl cyntaf. Neu'n paratoi rhestr o ffrindiau i'w gwahodd i fynd i'r sinema, neu i gael pizza. Yn ôl Mam, mae mam Alys yn 'un dda am daflu arian at ei phroblemau'. Hy! Doedd dim gobaith caneri y byddai fy mam i'n gwneud hynny! A hyd yn oed petai gwyrth yn digwydd, a Mam yn rhoi £50 i mi fynd â ffrindiau mas am noson, pwy allwn i wahodd? Neb. Y fi fyddai'r ferch drist honno'n eistedd ar ei phen ei hun yn y sinema, gyda thri bocs mawr o bopcorn, pum cwpan o Coke – a dim ffrindiau. Ro'n i bron â llefain – ond beth ddwedai Mam petai fy nagrau'n difetha'r cyfrifiadur?

Daeth Mam i mewn a 'ngweld i'n syllu ar y sgrin wag. Rhwbiodd fy mhen a gofyn a hoffwn i wylio'r teledu. Gadawodd i mi wylio'r *Simpsons*, hyd yn oed, heb rwgnach a chwyno bob munud. Ro'n i'n gwybod, yr eiliad honno, ei bod hi *wir* yn teimlo trueni drosta i.

Ac roedd hynny'n gwneud i mi deimlo hyd yn oed yn waeth.

Pennod 3

Dros y dyddiau nesaf, anfonais lwythi o e-byst at Alys – ond bownsiodd y cyfan yn ôl fel rhyw fŵmerangs gwallgo. Doedd gen i ddim syniad pam. Roedd Alys yn deall cyfrifiaduron yn well na fi, a byddai hi'n siŵr o fod wedi gwybod. Ond fedrwn i ddim cysylltu i ofyn iddi, yn na fedrwn?

'Pam na wnei di ffonio Alys ddydd Sadwrn?' awgrymodd Mam. Roedd ganddi ryw syniad bod ffonio'n rhatach ar y penwythnos. Wnes i ddim dadlau gyda hi.

Doedd pethau'n gwella dim yn yr ysgol – ond dyna ni, yn un ar ddeg oed do'n i ddim yn credu mewn gwyrthiau.

Roedd Mirain Mai a'i ffrindiau wrth eu bodd ym Mlwyddyn 6. Bob dydd roedden nhw'n swagro lan a lawr y coridor, yn fflicio'u gwallt ac ysgwyd eu penolau, a'r plant bach yn edrych arnyn nhw fel tasen nhw'n dduwiesau.

Yn yr iard, roedden nhw'n eistedd ar y meinciau ac yn tynnu sylw atyn nhw'u hunain wrth geisio edrych yn cŵl a soffistigedig. Ar y llaw arall, roedd Nia'n treulio'r egwyl yn darllen llyfrau trwm am bethau diflas fel hanes. Crwydrai Elen ac Ela o gwmpas yn eu byd bach eu hunain. Ac, wrth gwrs, roedd y bechgyn i gyd yn chwarae pêl-droed. Dyna'u ffordd nhw o berthyn i gang, mae'n debyg.

Mae Miss Meredydd yn fenyw neis, o feddwl taw athrawes yw hi. Er ei bod yn gwenu'n aml, mae pawb fel tasen nhw'n gwrando arni hi. Roedd hi'n glên iawn wrtha i, ac yn dangos diddordeb go iawn. Meddyliais falle ei bod hi'n teimlo trueni drosof am nad oedd gen i ffrind. Bron iawn i mi ddweud wrthi *bod* gen i ffrind, ond ei bod wedi symud i ffwrdd. Ond wnes i ddim, rhag ofn i mi swnio'n blentynnaidd. Falle fod un o'r athrawon eraill wedi sôn wrthi am Alys. Ond falle ddim . . . mae gan yr athrawon bethau mwy diddorol na hynna i'w trafod gyda'i gilydd. Fel ble i brynu ffa pob rhad, neu sut i farcio gwaith cartref yn gyflym.

O'r diwedd, roedd hi'n fore Sadwrn. Rhuthrais i mewn i stafell Mam a Dad am wyth o'r gloch. 'Ga i ffonio Alys nawr?' holais. 'Fe wnest ti addo, Mam, ti'n cofio?'

'Braidd yn gynnar, on'd yw hi?' gofynnodd Dad yn gysglyd. 'Betia i nad yw mam Alys wedi cyrraedd adre eto.'

Gwelais Mam yn rhoi cic iddo o dan y dwfe, a ddwedodd e 'run gair wedyn. Ond ro'n i'n gwybod beth oedd ar ei feddwl. Mae Dad yn credu bod mam Alys yn mynd mas i glybiau nos ac ati, ac yn cyrraedd adre yn oriau mân y bore. Ond falle taw teimlo'n eiddigeddus mae e, am nad yw e'n mynd i unman heblaw i'r gwaith ac ambell gêm bêl-droed.

'Na, bach, paid â ffonio eto,' meddai Mam. 'Falle nad y'n nhw wedi codi eto. Arhosa tan tua hanner awr wedi naw.'

Es yn ôl i'm stafell wely ac aros . . . ac aros. Roedd bysedd y cloc yn symud fel malwen. Edrychais ar y llun o Alys a fi wrth ochr fy ngwely. Er bod y ddwy ohonon ni'n cytuno bod y ffrâm braidd yn blentynnaidd, fe brynon ni un bob un.

Tybed oedd Alys yn edrych ar y llun weithiau? Nac oedd, mae'n debyg – roedd hi'n siŵr o fod yn rhy brysur yn cynllunio beth i'w wisgo i barti un o'i ffrindiau newydd, neu gyda phwy allai hi fynd i siopa. Falle ei bod hi hyd yn oed wedi tynnu'r llun ohono i mas o'r ffrâm a rhoi llun un o'i ffrindiau newydd yn ei le. Do'n i'n fawr o werth iddi, yn byw mor bell i ffwrdd. Allwn i mo'i beio hi am wneud ffrindiau newydd. Er hynny, ro'n i'n teimlo *mor* drist . . .

O'r diwedd, roedd y cloc yn dangos hanner awr wedi naw. Cydiais yn y ffôn a phwyso'r rhifau roedd Alys wedi'u rhoi i mi. Atebodd Alys bron ar unwaith.

'Helô?' meddai mewn llais bach tawel.

'Haia, Al. Fi sy 'ma, Meg. Sut wyt ti?' dywedais.

'Meg!' Roedd ei llais mor llawn o gyffro nes 'mod i'n teimlo'n hapus ac yn drist yr un pryd. 'O, mae'n grêt clywed dy lais di! Sut mae'r ysgol? Sut un yw Miss Meredydd? Sut mae Mirain Mai? A sut wyt ti?'

Fedrwn i ddim peidio chwerthin. Un fel 'na yw Alys – cymaint o bethau i'w dweud, a dim digon o amser i'w dweud nhw i gyd.

'Wel,' dechreuais, 'mae'r ysgol yn ofnadwy hebddot ti. Dwi'n gorfod eistedd nesa at Nia.'

'O na! Druan ohonot ti!'

Teimlwn braidd yn euog, ac ychwanegu, 'Dyw

hi ddim yn rhy ddrwg, cofia, jest braidd yn ddiflas. Does 'da ni fawr ddim yn gyffredin. Mae Miss Meredydd yn glên – i feddwl taw athrawes yw hi. Mae Mirain Mai mor erchyll ag arfer . . . a dwi'n dy golli di.'

'Deall yn iawn,' meddai Alys yn dawel. 'Mae fy ysgol newydd i'n iawn, a'r athrawes yn neis. Mae'r plant yn gwneud eu gorau, ond mae gan bawb ffrindiau'n barod. Dy'n nhw ddim ond yn glên wrtha i am fod yr athrawes yn gofyn iddyn nhw fod. Maen nhw'n gyfeillgar am sbel, ac wedyn yn rhuthro'n ôl at eu hen ffrindiau gan edrych yn falch eu bod wedi bod mor dda gyda'r "ferch newydd". Ac mae'r wisg ysgol yn *erchyll* – lliw brown ych a fi, a'r defnydd yn crafu dy groen di. Wyt ti'n cofio lliw dy bysgodyn aur di cyn iddo farw? Wel, dyna'n union yw lliw y tei. Ac mae'r fflat newydd yn ddiflas hefyd – pobman yn lliw hufen ac yn wag rhywsut. *Minimalist* yw disgrifiad Mam ohono, ond i mi mae'n edrych fel petai rhywun yn rhy fên i brynu celfi. Does dim gardd yma, dim ond balconi, a does dim i'w weld oddi yno ond y maes parcio. Dwi'n casáu'r lle!'

Do'n i ddim yn siŵr sut i ymateb. 'Wyt ti'n gweld eisiau dy dad?' gofynnais o'r diwedd.

'Wrth gwrs 'mod i – faset ti ddim?' atebodd.

Bu'r ddwy ohonom yn dawel am ychydig eiliadau, yna dywedodd Alys, 'Hei, Meg, dos i edrych drwy'r ffenest. Ydy car Dad yna? Mae e'n dod i'n gweld ni heddiw.'

Brysiais at y ffenest – doedd dim golwg o gar tad Alys. 'Nac ydy, Al.'

'Grêt – rhaid ei fod e ar y ffordd yma, felly. Mae'n mynd â ni i Techniquest heddiw. Mae Mam wedi bod â ni yno'n barod, ond sonia i 'run gair wrth Dad. Rhaid i mi esgus 'mod i'n cael amser grêt, a fydd hynny ddim yn hawdd. Ac wedyn, ar y ffordd yn ôl, ry'n ni'n mynd i gael pizza.'

'Gwych – rwyt ti wrth dy fodd gyda pizza,' dywedais.

'Ddim mewn gwirionedd,' ochneidiodd Alys. 'Ry'n ni wedi cael pizza deirgwaith yr wythnos hon yn barod. Mae'r bachgen sy'n dod â nhw'n gwybod ein henwau i gyd erbyn hyn, a pha fath o bizzas ry'n ni'n eu hoffi. Mae Mam yn rhy flinedig i goginio, meddai hi, ar ôl yr holl waith yn symud tŷ.'

'Ydy dy dad yn aros gyda chi heno?' gofynnais.

'Na – cynigiodd Mam iddo gysgu yn stafell

Jac, ond dwedodd Dad y byddai'n aros gydag Wncwl Dai. Trueni na fydd e'n aros yma gyda ni . . .'

'Wel, falle gwnaiff e y tro nesa,' dywedais, i geisio codi'i chalon. Yna, i newid y pwnc, holais 'Wyt ti wedi sortio'r e-byst eto?'

'Naddo, ond mae Dad wedi addo gosod y cyfrifiadur heno. Roedd Mam wedi rhoi cynnig arni,' chwarddodd, 'ond doedd dim byd yn gweithio. Yna collodd ei limpin yn llwyr, taflu'r llawlyfr ar lawr, a sgrechian yr holl eiriau drwg dyw hi ddim yn gadael i mi eu dweud. Dechreuodd Jac ddweud yr un geiriau, a chafodd e lond pen gan Mam. Doedd hynny ddim yn deg, ond wnes i ddim meiddio dadlau gyda hi!'

Chwarddais yn uchel. Un dda oedd Alys am ddweud stori. Ro'n i bron â marw eisiau dweud wrthi 'mod i'n ei cholli, a bod popeth yn wahanol hebddi hi. Ond ro'n i'n becso y byddai hynny'n swnio'n dwp – y math o beth mae merched sopi ar y teledu'n ei ddweud.

Yn lle hynny, soniais wrthi am ddant newydd Seren, a steil gwallt newydd Mam, gan ychwanegu bod Dad wedi gwneud jôc am ei gwallt a'r ddau wedi ffraeo wedyn am hanner awr solet!

Ar ôl sbel, curodd Mam ar y drws a dod i mewn. Doedd hi ddim yn edrych yn hapus. Pwyntiodd at ei watsh, a daliais fy mys i fyny i ddangos 'mod i eisiau siarad am un funud arall. Nodiodd Mam, a mynd allan.

'Rhaid i mi fynd nawr, Al,' dywedais. 'Pryd wyt ti'n dod i Aberystwyth? Wnaiff dy fam adael i ti ddod yn fuan?'

'Sai'n credu rhywsut,' ochneidiodd Alys. 'Mae hi wedi talu 'mlaen llaw am y gwersi piano, felly cha i ddim colli un heblaw os dwi ar fin marw. Dwi'n ofni weithie na cha i fyth ddod yn ôl eto.'

Roedd gen i lwmp mawr yn fy ngwddw. Do'n i ddim am i Alys fy nghlywed yn llefain, felly dywedais yn gyflym, 'Hwyl fawr, Al. Gawn ni sgwrs eto yr wythnos nesa, iawn?' A diffoddais y ffôn.

Gorweddais ar fy ngwely a syllu ar y nenfwd. Roedd Alys a fi wedi chwerthin lond ein boliau rai misoedd yn ôl wrth geisio gosod sticeri lliwgar arno. Ro'n i'n methu'n lân â'u cael i aros yn eu lle, ond roedd gan Alys wastad syniadau gwreiddiol sut i fynd o gwmpas pethau. O, ro'n i'n ei cholli hi! Llithrodd y dagrau i lawr fy wyneb . . .

Ar ôl sbel, penderfynais wisgo a mynd i gael brecwast.

Uwd . . . eto.

Fel taswn i ddim yn teimlo'n ddigon gwael yn barod.

Pennod 4

Dydd Llun, cyrhaeddodd e-bost oddi wrth Alys. Ro'n i wrth fy modd – fy e-bost cyntaf erioed oddi wrthi (heb gyfri'r holl rai ges i'n dweud bod fy negeseuon i wedi bownsio'n ôl). Sgroliais drwyddo, gan ei ddarllen mor gyflym ag y gallwn.

Annwyl Meg
Dyma fy e-bost cynta erioed. Gobeithio y bydd yn cyrraedd yn saff. Roedd y penwythnos yn iawn. Aeth Dad â Jac a fi i sawl lle, yn cynnwys Techniquest. Ro'n i wedi llwgrwobrwyo Jac gyda bar mawr o siocled, jest rhag ofn.

Chwarae teg, soniodd e 'run gair am fynd yno gyda Mam. Roedd hi'n neis-neis gyda Dad – ond roedd y cyfan yn teimlo'n ffals, rywsut. Ddoe, pan oedd Dad yn gadael, roedd Jac yn beichio crio a finnau'n teimlo 'run fath. Ro'n i'n esgus bod yn hapus rhag ypsetio Dad ond, ar ôl iddo fynd, ro'n i'n teimlo'n euog. Erbyn yr wythnos nesa, bydd raid i mi ymarfer edrych yn ddewr ond yn drist. Ar ôl i Dad fynd, rhoddodd Mam far mawr o siocled bob un i Jac a fi. Dyna beth sy'n digwydd mewn ffilmiau – trio gwneud yn iawn am y ffaith bod y teulu wedi chwalu. Dwi'n deall ei hen driciau hi, a wnaiff un bar o siocled byth wneud popeth yn iawn eto. Roedd yr ysgol rywfaint gwell heddiw. Rhannodd merch o'r enw Sioned ei chreision gyda fi, a bu'r ddwy ohonon ni'n sgwrsio yn yr iard. Rhaid i mi fynd, mae te'n barod. Pizza – eto fyth!!

Ffonia i di ddydd Sadwrn.
Al xx

Ro'n i *mor* hapus bod Al wedi cysylltu. Darllenais y neges yr ail dro, yn arafach y tro hwn. Roedd Mam yn glên gyda fi, a dangosodd i mi sut i anfon ateb. Pan oedd hi'n ôl yn y gegin, dyma sgrifennais i:

Haia, Al
Dyma fy e-bost cynta i hefyd. Wel, yr un cynta fydd di'n ei dderbyn, o leia! Roedd y penwythnos yn ofnadwy o bôring. Ddoe, gorfododd Dad i ni fynd am dro hiiiiiiir i Barc Natur Penglais. Er ei bod yn tywallt y glaw, roedd Dad yn dweud 'wnaiff diferyn o law ddim drwg i neb' a rhyw rwtsh fel 'na. Fe grwydron ni oddi ar y llwybr a mynd ar goll. Roedd Mam mewn hwyliau drwg, a dwedodd 'beth taswn i wedi gwisgo sgidiau sodlau uchel?' Atebodd Dad nad oedd hi wedi gwisgo rhai ers dydd eu

priodas. Wedyn – ych a fi! – roedden nhw'n gariadus gyda'i gilydd, a bu raid i mi wthio bygi Seren. Roedd yr olwynion yn mynd yn sownd yn y mwd, ac yn y diwedd cymerodd Dad drosodd. Cerddodd Mam gyda fi, a phan ddechreuodd hi siarad am deimladau a phethe, rhedais ar ôl Dad ac esgus chwilio am goncyrs o dan y coed. Ffeindiais i 'run, ond o leia ces i lonydd gan Mam. Ar ôl cyrraedd adre cawson ni grempog i de (iym!). Roedd pethau'n ddrwg yn yr ysgol eto heddiw. Mae Mirain Mai mor annioddefol ag erioed. Fedra i ddim meddwl am ragor i'w ddweud. Edrych 'mlaen at sgwrs ddydd Sadwrn.

Meg xx

Dros ginio, roedd Mam yn mynd 'mlaen a 'mlaen wrth Dad pa mor wych oedd bod Alys a fi'n cysylltu dros e-bost. Byddech chi'n meddwl 'mod i wedi darganfod ffordd o wella rhyw salwch erchyll neu rywbeth.

'On'd yw technoleg yn grêt, Gareth? Fe fydd hi mor hawdd i'r merched gadw mewn cysylltiad nawr.'

'Hmmm,' meddai Dad, gan nodio'i ben.

Ond ro'n i'n teimlo'n grac. Pa iws oedd e-byst? Ffrind go iawn ro'n i eisiau – un ro'n i'n ei gweld bob dydd, i sgwrsio a chwerthin gyda hi. Nid un oedd yn bodoli'n unig ar sgrin neu dros y ffôn. Pa fath o ffrind oedd un felly?

Ces fy nhemtio i weiddi hyn i gyd wrth Mam – ond wnes i ddim. Ro'n i'n ei nabod yn rhy dda. Byddai'n llawn cydymdeimlad am ychydig, ond wedyn byddai wedi siarad yn ddiddiwedd am deimladau ac ati. Doedd e ddim werth y drafferth.

Es ati i glirio'r llestri, chwarae gyda Seren ac edrych 'mlaen at amser gwely. Pan ddaeth Mam i ddweud nos da, cefais syniad grêt.

'Mam,' dywedais, 'wyt ti'n cofio dweud amser te bod technoleg yn wych?'

'Ydw . . .' atebodd yn ansicr.

'Wel, tasai gen i ffôn symudol, gallwn decstio Alys unrhyw bryd. Byddai hynny'n ddefnydd da o dechnoleg, yn byddai?'

'Defnydd da o f'arian i, debyg! Dere nawr. Rwyt ti'n gwybod yn iawn 'mod i'n casáu ffonau symudol. Does neb yn gwybod pa effaith maen nhw'n ei gael ar dy ymennydd di. Ymhen blynyddoedd, falle bydd pobl yn difaru eu bod wedi'u defnyddio nhw o gwbl. Byddai'n gallach o lawer i ti ddefnyddio ffôn y tŷ a'r cyfrifiadur. Reit, nos da 'te.'

Rhoddodd sws i mi a mynd o'r stafell. Dwi'n caru Mam, ond mae hi'n gymaint o ddeinosor! Embaras llwyr! Ro'n i'n teimlo 'mod i'n byw yn y cartre mwya henffasiwn yng Ngheredigion. Petai 'na ffrwydrad ofnadwy'n digwydd – fel yr un gafwyd yn Pompeii – a chladdu'n tŷ ni dan lafa a lludw, byddai archaeolegwyr y dyfodol yn cael andros o drafferth gweithio mas pryd digwyddodd y drychineb.

'Hmm,' bydden nhw'n dweud gan grafu'u pennau, 'mae'r broses dyddio carbon yn dangos yr 21ain ganrif, ac ry'n ni wedi dod o hyd i gyfrifiadur – ond dyw pethau eraill ddim yn ffitio'r patrwm.'

Byddai pawb arall yn ymuno. 'Does dim popty ping.'

'Dim ffonau symudol.'

'Dim peiriant sychu dillad.'

'Dim bocsys pizza.'

'Dim Playstation.'

'Dim fideo.'

Ac yna byddai pawb yn mynd adre i sgrifennu eu hadroddiadau. Byddai'r rheiny'n dangos bod trigolion y tŷ wedi byw yn y 1950au, neu ryw gyfnod cyn-hanesyddol fel'na.

Dyw bywyd ddim yn deg.

Pennod 5

Dwi'n cwyno lot am Mam. Dwi'n trio peidio, ond mae mam pawb arall (heblaw un Alys, wrth gwrs) i weld yn fwy caredig, yn fwy o hwyl, ac yn haws byw gyda hi. Dyw hynna ddim yn deg. Sut lwyddais i i gael y fam wirion bost? Tra bod mamau pawb arall yn becso am eu gwallt a'u dillad, mae fy mam i'n rhy brysur yn trio achub y byd, neu'r bydysawd, neu rywbeth. Mae hi wastad yn meddwl taw hi sy'n iawn. Falle'i bod hi – ond trueni nad yw hi'n gallu ymlacio weithiau.

Beth bynnag, rhyw ddydd Gwener rai wythnosau'n ddiweddarach, roedd Mam yn ei hwyliau, a finnau'n ofni ei bod wedi meddwl am ffordd arall o wneud i mi deimlo'n fethiant llwyr. Ond yna, ar y dydd Sadwrn, fe wnaeth hi rywbeth oedd mor gwbl wahanol i'r arfer nes fy mod i – am sbel – yn meddwl 'mod i wedi marw a chael fy aileni yn aelod o deulu normal.

Dyma beth ddigwyddodd. Ar y dydd Gwener, roedd Mam yn rhefru ar dop ei llais ar ôl gweld yn y papur fod rhyw gwmni'n bwriadu adeiladu stad fawr o dai newydd ar dir y parc. Roedd hi'n *gandryll*!

'Fedri di gredu'r fath beth, Megan?' gwaeddodd. 'Fedri di?!'

Do'n i ddim yn becso rhyw lawer y naill ffordd na'r llall. Dwi ddim yn arbennig o hoff o'r parc, fel mae'n digwydd.

'Maen nhw'n mynd i ddwyn ein parc ni! Yr unig ddarn o dir glas sy gyda ni! Allwn ni ddim sefyll ar un ochr a gadael iddyn nhw wneud hyn!' bloeddiodd.

Tawelodd am eiliad, a sylweddolais ei bod yn aros am ateb. Ond fe wnes i glamp o gamgymeriad. 'Wel,' dywedais, 'rwyt ti wastad yn cwyno bod y parc yn llawn o bobl sy'n cymryd cyffuriau. Dwyt ti byth yn gadael i mi fynd yno. Man a man troi'r lle'n stad o dai.'

Trodd wyneb Mam yn borffor. Bron gallech chi ddweud bod mwg yn tasgu mas o'i chlustiau.

'Fy merch fy hun!' sgrechiodd. 'Pa fath o blentyn ydw i wedi'i fagu?'

'Tynnu coes o'n i, Mam,' atebais mewn llais bach.

Doedd hynny ddim yn wir, wrth gwrs – ro'n i'n trio'i chael hi i dawelu tipyn. Ond doedd hi ddim yn gwrando. Rhuthrodd i stafell Seren a dod yn ôl gyda darn mawr o bapur. Arno tynnodd lun o sut gallai'r parc edrych petai'r rhannau gwyllt yn cael eu clirio, a gofalwr yn cael ei gyflogi i edrych ar ôl y lle a chadw'r bobl ddrwg i ffwrdd. Erbyn hyn roedd 'na olau tanllyd yn ei llygaid – rhywbeth sy wastad yn gwneud i mi deimlo'n hynod o nerfus. Aeth ar y cyfrifiadur a dechrau argraffu deiseb – degau o dudalennau i bobl eu harwyddo. Dechreuais deimlo'n swp sâl. Yn amlwg, roedd hi'n bwriadu chwifio'r rhain yn gyhoeddus, a gwneud ffŵl ohono i – eto fyth.

Es i sefyll y tu ôl iddi. 'Mam,' dechreuais, 'wnei di ddim . . . fedri di ddim . . . dwyt ti ddim yn bwriadu gofyn i bobl arwyddo'r rhain, yn nag wyt . . . wyt, mae'n amlwg . . .'

Mi wnes i ddadlau, o do. Am oesoedd. Ond wnaeth hynny fawr o les i mi. Weithiau does dim modd stopio Mam, a bryd hynny man a man gadael iddi gael ei ffordd. A dyna pam, ychydig yn nes 'mlaen, ro'n i'n sefyll y tu allan i'r siop leol yn gafael yn dynn yn fy nghlipfwrdd.

Dyna oedd hanner awr waetha fy mywyd, wir i chi. Daeth un neu ddwy o hen fenywod draw ac arwyddo'r ddeiseb mewn ysgrifen wobli. (Roedden nhw'n credu taw deiseb yn erbyn cwtogi ar y gwasanaeth casglu biniau oedd hi, a wnes i mo'u cywiro.) Ches i fawr ddim llofnodion wedyn – falle oherwydd 'mod i'n cuddio'r clipfwrdd o dan fy nghôt y rhan fwya o'r amser. Ond, wrth gwrs, roedd e yn y golwg pan gerddodd Mirain Mai heibio. Daeth draw ata i ac esgus dangos diddordeb mawr. Gafaelodd yn y clipfwrdd a chwerthin yn uchel pan welodd beth oedd y ddeiseb.

Ces fy nhemtio i ymbil arni i beidio dweud gair wrth neb yn yr ysgol. Ond byddai hynny'n siŵr o wneud pethau'n waeth, felly caeais fy ngheg. *Trueni nad yw Alys gyda mi*, meddyliais. *Bydde hi'n gwybod beth i'w wneud*. Yn y diwedd, wnes i ddim byd ond sefyll yno fel ffŵl, fy wyneb yn goch fel tân, a dweud dim. Cerddodd Mirain Mai i ffwrdd – a gallwn ei chlywed yn dal i chwerthin hyd yn oed pan oedd hi wedi troi'r gornel.

Ro'n i bron iawn â llefain, ac eisiau mynd adre – ond ro'n i'n gwybod y byddai Mam yn hanner fy lladd am gael cyn lleied o ymatebion. Byddai'n siŵr o fynnu ein bod ni'n dwy'n rhoi cynnig arall arni, gan weiddi a thynnu sylw aton ni a gwneud pethau hyd yn oed yn waeth.

Ond, y funud honno, daeth Marged – y fenyw sy'n gweithio yn y siop – allan ata i. 'Dy fam sy wedi gofyn i ti wneud hyn?' gofynnodd, gan edrych ar y clipfwrdd.

Nodiais yn drist.

'Gad e gyda fi am dipyn, a dos di am dro,' meddai'n garedig gan gymryd y clipfwrdd o 'nwylo a mynd yn ôl i mewn i'r siop.

Doedd gen i ddim syniad beth oedd Marged yn bwriadu'i wneud, ond fe gerddais yn araf ddeg gwaith lan a lawr y stryd. Erbyn i mi fynd yn ôl i'r siop, roedd Marged wedi casglu tair llond tudalen o lofnodion. Gallwn fod wedi rhoi clamp o gwtsh iddi – ond daliais yn ôl rhag ofn bod Mirain Mai yn dal o gwmpas. Tasai hi'n gweld y fath beth, byddai'n ddiwedd y byd arna i.

Pan gyrhaeddais adref, roedd Mam wrth ei bodd. Aeth 'mlaen a 'mlaen ynghylch pa mor dda oedd fy ngweld i'n gweithio mor galed i wella'r amgylchedd, a chymaint o lwyddiant oedd hi fel mam i ferch mor wych. Fe wnaeth hi hyd yn oed ymddiheuro am fod mor gas wrtha i'n gynharach. Es i'm stafell wely cyn i mi gyfogi. Yn fuan wedyn, gallwn glywed Mam ar y ffôn, yn dweud wrth Dad bod ganddyn nhw ferch gwbl arbennig oedd yn mynd i achub y blaned. Trois y sain ar y radio'n ddigon uchel i foddi ei llais.

Rhyw ddeng munud yn ddiweddarach, curodd ar ddrws fy stafell. Doedd gen i ddim gobaith dianc, felly mwmialais 'dewch i mewn' mewn llais cwbl ddigroeso. Daeth Mam i eistedd yn f'ymyl ar y gwely, gan roi un fraich o gwmpas fy sgwyddau. Ro'n i'n paratoi fy hun ar gyfer y gwaethaf, ond dywedodd Mam, 'Rwyt ti wedi bod mor dda, Megan, fel 'mod i wedi penderfynu rhoi trît bach i ti fory. Mae Dad wedi cynnig gofalu am Seren er mwyn i ti a fi gael diwrnod sbesial gyda'n gilydd.'

Gwnes fy ngorau glas i edrych yn frwdfrydig, ond lwyddais i ddim. Doedd syniadau Mam am 'ddiwrnod sbesial' byth 'run fath â'm rhai i. Mae'n debyg ei bod yn bwriadu mynd â fi i weithdy gwneud compost ar gyfer yr ardd, neu rywbeth cyffrous felly.

Mentrais ofyn, 'Ble ry'n ni'n mynd?'

Gwenodd Mam fel giât a dweud, 'Gei di weld, Megan, gei di weld.'

Do'n i ddim yn edrych 'mlaen.

Pennod 6

Y bore wedyn, daeth Mam i ’neffro yn annaearol o gynnar. Roedd hi’n dal yn dywyll fel bol buwch y tu allan. Ysgydwodd Mam fi, gan ddweud. ‘Dere, Megan fach, deffra. Ry’n ni’n mynd am drip.’

Ochneidiais a throi drosodd gan ddweud, ‘O, Mam, dwi ’di blino. Gawn ni fynd yn nes ’mlaen?’ (*Neu byth, hyd yn oed.*)

‘Na chawn wir,’ chwarddodd Mam. ‘Dere nawr, a gwisga – neu fel arall byddwn ni’n colli’r trên.’

Yn sydyn, do’n i ddim yn teimlo’n flinedig. Codais ar fy eistedd yn y gwely. Fel arfer, roedd 'tripiau sbesial' Mam yn golygu cerdded, neu seiclo, neu hyd yn oed ganŵio, fel digwyddodd unwaith. Roedd y gair 'trên' yn swnio'n gyffrous. Falle'n bod ni'n mynd i weld fy nghefndryd yn y Drenewydd. Neu i siopa yn Amwythig i brynu dillad i mi – rhai roedd Mam yn eu hystyried yn 'ffasiynol'. Brysiais i molchi a gwisgo, a bwytais fy uwd heb gwyno unwaith.

'Ble ni'n mynd, Mam?' holais sawl gwaith yn y car ar y ffordd i'r orsaf. Ond dim ond pan glywais i Mam, wrth iddi archebu tocynnau, yn dweud y gair hud 'Caerdydd' y ces i ateb.

Ro'n i'n ofni gobeithio. 'Mam . . . gawn ni . . . allwn ni . . . ydyn ni'n . . .'

Ddywedodd hi 'run gair am sbel, dim ond rhoi'r tocynnau a'r newid yn ei phwrs a gwneud yn siŵr bod ei bag wedi'i gau. O'r diwedd, trodd ata i gan wenu. 'Ydyn ni'n beth, Meg?' gofynnodd.

Ro'n i mor gyffrous nes baglu dros fy ngeiriau. 'Ydyn ni'n . . . mynd i weld Alys?'

Ysgydwodd ei phen, a diflannodd fy holl obeithion i'r awyr oer, dywyll. Ond aeth Mam yn ei blaen. 'Na, dy'n *ni* ddim yn mynd i weld Alys, ond mi rwyt *ti*. Dwi'n mynd i gael pnawn o siopa, a chei dithau dreulio amser gydag Alys.'

Ro'n i'n dal i ofni gobeithio. Roedd hyn yn rhy dda i fod yn wir. 'Ond . . . beth am y gwersi piano, a beth am ei thad? Ro'n i'n meddwl ei fod e'n mynd yno heddiw. Beth os nad yw hi gartre? Falle bod ei mam wedi mynd â nhw mas i rywle . . .' Llifai'r geiriau o 'ngheg.

Gwenodd Mam eto. Mae hi'n eitha pert pan mae hi'n gwenu. Dylai wenu'n amlach, dwi'n credu. 'Paid â becso, bach,' meddai. 'Mae'r cyfan wedi'i drefnu. Bydd gwers Alys drosodd ymhell cyn i ni gyrraedd yno, a dyw ei thad ddim yn mynd tan fory. Nawr brysia, wir, neu byddwn ni'n colli'r trên.'

Ro'n i'n teimlo mor hapus nes rhoi cwtsh anferth iddi. Fe wnes i hyd yn oed anghofio am y busnes ofnadwy 'na gyda'r ddeiseb. Soniais i 'run gair wrthi hi, chwaith . . .

Roedd y daith ar y trên yn ddiddiwedd. Wrth gwrs, ches i ddim paned o siocled poeth a myffin, fel pawb arall. Rhaid i mi wneud y tro gyda snac iach o hadau blodyn yr haul a sudd afal organig. O wel, doedd e ddim yn ddiwedd y byd.

Ar ôl cyrraedd Caerdydd, aethon ni mewn tacsi i fflat newydd Alys. Ar ôl i mi ganu'r gloch, ro'n i'n gwneud fy ngorau glas i beidio â neidio lan a lawr wrth aros am ateb. O'r diwedd, clywais lais Alys yn dod o'r bocs arian ar y wal.

'Helô? Pwy sy 'na?' holodd.

'Fi, Megan!' atebais.

Chwarddodd Alys. 'Dere i mewn,' meddai. 'Ry'n ni ar yr ail lawr.'

Clywais sŵn clicio, ac agorodd y drws. 'Hwyl i ti, bach,' meddai Mam gan roi sws i mi. 'Gobeithio gewch chi bnawn da. Ddo i draw i dy gasglu di am hanner awr wedi pedwar, iawn?'

Edrychais ar fy watsh. Roedd hynny *oriau* i ffwrdd – gwych! Es drwy'r drws, a llamu lan y staer fel petai haid o wyddau ar fy ôl.

Roedd Alys wedi dod hanner ffordd i lawr i gwrdd â mi. Safodd y ddwy ohonom yn stond am funud. Teimlwn yn swil – oedd yn wirion, o feddwl 'mod i'n gweld fy ffrind gorau yn y byd i gyd am y tro cyntaf ers pum wythnos. Edrychai Alys yn swil hefyd, felly do'n i ddim yn teimlo'n rhy dwp. Clywais lais ei mam yn gweiddi o ddrws y fflat, 'Alys Roberts – gest ti dy eni mewn cae? Dere'n ôl a chau'r drws!'

Chwarddodd y ddwy ohonom, ac o'r diwedd roedd popeth yn teimlo'n iawn. Rhoddodd Alys ei braich amdanaf gan ddweud, 'Dere lan, Megan. Croeso i 'mywyd newydd i!'

Wrth i ni gyrraedd drws y fflat, daeth mam Alys i gwrdd â ni. Ysgydwodd fy llaw, a dweud 'Shwmai, Megan? Neis dy weld di.' Ond doedd hi ddim yn edrych yn rhy hapus. Fel arfer, roedd hi wedi'i gwisgo fel model, mewn dillad trendi a bŵts sodlau uchel.

Daeth Jac draw aton ni. Roedd e'n edrych yn llai nag o'n i'n ei gofio. 'Ddoist ti â rhywbeth i mi?' gofynnodd. Ysgydwais fy mhen, a chollodd Jac bob diddordeb. Gwisgodd mam Alys ei chôt, a pherswadio Jac i wisgo'i gôt yntau. 'Nawr 'te, Alys,' meddai. 'Dwi'n dibynnu arnat ti i fihafio. Paid â gwneud dim byd twp, reit? Dwi wedi gadael brechdanau i chi yn yr oergell. Fe fyddwn ni'n ôl erbyn pump. Hwyl!' Ac i ffwrdd â nhw, i gyfeiliant clic-clac y sodlau uchel.

Fedrwn i ddim credu'r peth! Gwenodd Alys a fi ar ein gilydd cyn iddi hi fy nhynnu i mewn i'w stafell wely. Gorweddodd ar y gwely, ac eisteddais innau ar fag ffa porffor, anferth, a dechreuon ni ddweud yr holl bethau gwirion doedden ni ddim wedi gallu eu rhannu â neb arall. Chwarddodd Alys ar fy holl straeon doniol am Mirain Mai, a thynnu stumiau wrth wrando ar hanes y ddeiseb y diwrnod cynt.

Dechreuodd Alys sôn am ei hysgol newydd.

Roedd yn swnio'n eitha diflas, fel pob ysgol arall. Ond yna fe sylwais ei bod yn edrych yn drist.

'Beth sy'n bod, Al?' holais. 'Ydy'r lle'n ofnadwy?'

Ysgydwodd ei phen. 'Na, ddim mewn gwirionedd,' meddai. 'Mae'r athrawon yn iawn, a rhai o'r merched yn neis, ond . . . dwi jest eisiau bod 'nôl yn Aber. Dwi'n colli Dad. Dwi'n dy golli di. Ac weithiau, dwi hyd yn oed yn colli Mirain Mai.'

Wyddwn i ddim beth i'w ddweud. Fel arfer, roedd Alys yn berson llawen a phositif. Doedd gen i ddim syniad sut i ymateb i'r ferch wahanol, drist yma.

Ond, yn sydyn, daeth newid mawr drosti, fel tasai hi'n gwthio'r holl feddyliau drwg i ffwrdd. Neidiodd ar ei thraed gan ddweud, 'Reit – dyna ddigon o gwyno. Beth am i ni fynd mas am ginio bach?'

Ro'n i'n gegrwth. Do'n i erioed wedi bod mas yn bwyta heb oedolyn o'r blaen. 'Ond wedodd dy fam fod 'na frechdanau i ni yn yr oergell,' mentrais.

Chwarddodd Alys. 'O do, ti'n iawn. Gad i ni gael pip.' Arweiniodd fi i'r gegin, ac estyn plât wedi'i orchuddio â ffoil o'r oergell. Tynnodd y ffoil i ddangos pentwr o frechdanau bara gwyn, a'r crystiau wedi'u torri i ffwrdd. Sniffiodd Alys nhw. 'Ych a fi! Tiwna! Dim diolch!' meddai.

Dwi'n eitha mwynhau brechdanau tiwna, yn enwedig pan does dim rhaid i mi fwyta'r crystiau, ond do'n i ddim yn hoffi dweud hynny wrth Alys.

Taflodd y brechdanau i mewn i'r bin ailgylchu bwyd, a'u cuddio gyda darn o bapur cegin. Gafaelodd yn ei chôt a'm harwain at ddrws ffrynt y fflat. 'Dere, Meg,' meddai. 'Mae'n bryd i ti gael gweld tipyn o Gaerdydd.'

Gawson ni amser grêt. Aethon ni i un o'r bwytai lliwgar yng Nghanolfan Dewi Sant, a rhannu llond bag anferth o sglodion. Wedyn, yn bwdin, gawson ni glamp o hufen iâ bob un. Buon ni'n cerdded o gwmpas y ganolfan siopa, gan fwynhau edrych ar y siopau dillad, CDs a gemwaith. Cwrddon ni â Bethan, merch oedd yn yr un dosbarth ag Alys, a buon ni'n sgwrsio am ychydig. Roedd hi'n ferch gyfeillgar iawn, ond fedrwn i ddim peidio teimlo'n eiddigeddus wrth feddwl bod gan Alys ffrind gorau arall – rhywun heblaw fi. 'Wyt ti'n ei hoffi hi?' gofynnais yn ddidaro.

Meddyliodd Alys am eiliad cyn dweud, 'Ydw,

mae'n hi'n ferch neis.' Teimlwn fel petai rhywun yn gwthio cyllell i mewn i 'nghalon. Ond yna ychwanegodd Alys, 'Ond ddim hanner mor neis â ti.' Ro'n i'n teimlo'n llawer gwell wedyn.

Aethon ni rownd ychydig rhagor o siopau, a chael pecyn arall o sglodion. Erbyn hynny, roedd hi'n bedwar o'r gloch. Aethon ni'n ôl i fflat Alys ac estynnodd hi baced o fisgedi siocled o un o'r cypyrddau. Eisteddais ar y bag ffa yn ei stafell wely eto, gan deimlo braidd yn sâl ar ôl bwyta'r holl sglodion. Do'n i ddim eisiau mynd adref. Do'n i ddim eisiau gadael Alys ar ôl yn y lle 'ma – rhywsut, doedd e ddim yn teimlo fel cartref.

Roedd Alys yn dawel iawn, ac yn syllu'n benisel drwy'r ffenest. Es draw ati. Doedd dim gwyrddni i'w weld yn unman, dim ond hen faes parcio hyll. Ro'n i bron â llefain, ond byddai hynny'n beth cas i'w wneud – roedd gan Alys lawer mwy o reswm na fi dros lefain.

Pan wnaeth hi ryw sŵn od yn ei gwddw, teimlwn yn ofnadwy. Do'n i ddim wedi gweld Alys yn llefain er pan oedd hi tua chwech oed. *Ddylwn i roi cwtsh iddi hi, tybed*? meddyliais. Ond, pan edrychais arni, sylweddolais nad llefain oedd hi – ond chwerthin! Am eiliad, ro'n i'n meddwl ei bod wedi mynd yn hollol wallgo.

'Beth sy'n bod, Al?' holais mewn penbleth. 'Beth sy mor ddoniol?'

'Chredi di byth,' atebodd, 'ond dwi newydd gael y syniad mwya ffantastig! Mae gen i gynllun . . .'

'Pa fath o gynllun?'

Chwarddodd Alys eto cyn dweud, 'Cynllun fydd yn golygu dy fod ti a fi'n cael bod gyda'n gilydd eto.'

Y funud honno, ro'n i'n gwybod i sicrwydd ei bod hi wir yn hollol wallgo. Fyddai dim byd yn perswadio'i mam i symud yn ôl i Aberystwyth. Teimlwn yn drist mai fi fyddai'n gorfod chwalu breuddwyd Alys a dweud wrthi na fyddai ei chynllun byth yn gweithio. Weithiau, mae bod yn berson call yn anodd.

'Iawn – nawr dwed wrtha i beth yw dy gynllun mawr di,' dwedais.

'Na wnaf – fyddi di ddim ond yn dweud na wnaiff e byth weithio,' atebodd.

Cochais, ond wnaeth Alys ddim sylwi. Cariodd 'mlaen i siarad. 'Ond fe wnaiff e weithio,' ychwanegodd, 'os galla i sortio cwpwl o fanylion.'

Ro'n i bron â marw eisiau gwybod beth oedd y cynllun. 'Plis dweda wrtha i, Al,' ymbiliais.

Ysgydwodd ei phen. 'Na, Meg, sorri. Rhaid i ti dderbyn fy ngair i. Fe ddweda i'r cyfan y tro nesa wela i di.'

'Ond pryd fydd hynny? Ddaw Mam ddim â fi yma eto ar frys.'

'Yn fuan, dwi'n addo. Bydd raid i Mam adael i mi fynd i Aber cyn hir. Paid â becso, bydd popeth yn iawn – gei di weld.'

Roedd Alys yn un dda am gadw cyfrinachau, felly doedd dim pwynt pwyso arni. Ro'n i hefyd yn sylweddoli ei bod, dan yr holl chwerthin a thynnu coes, yn teimlo'n ddigalon iawn. Roedd hi'n colli'i thad, a'i hen fywyd. Ym mêr fy esgyrn ro'n i'n gwybod y byddwn yn ei helpu i wireddu'i chynllun – pa mor chwerthinllyd bynnag oedd e.

Y funud honno, gwelais dacsi'n parcio wrth y drws allanol. Daeth Mam allan ohono a chanu'r gloch yn y fynedfa i'r fflatiau. Cerddodd Alys gyda fi at y drws. Sgwrsiodd gyda Mam am ychydig, a wincio arna i'n slei bach. Edrychodd Mam ar ei watsh. 'Sorri, ferched,' meddai. 'Rhaid i ni fynd, neu byddwn ni'n colli'r trên.'

Cafodd Alys a fi gwtsh cyflym cyn i mi ddringo i gefn y tacsi at Mam. Pan edrychais drwy'r ffenest gefn, roedd Alys yn gwenu fel giât ac yn chwifio'i llaw yn wyllt. Am un eiliad wallgo, ro'n i wir yn credu y gallai hi sortio popeth.

Pennod 7

Teimlad od oedd mynd yn ôl i'r ysgol fore Llun. Roedd popeth 'run fath ag arfer, fel petai'r penwythnos heb fod o gwbl. Ro'n i ar bigau'r drain eisiau sôn wrth rywun am fy nhrip i Gaerdydd, ond fedrwn i ddim meddwl am neb – heblaw Miss Meredydd, yr athrawes. Pa mor drist oedd hynna? Yn y diwedd, soniais i 'run gair wrth neb.

Roedd Mirain Mai wedi anafu'i braich dros y penwythnos, felly roedd pawb yn gwneud cymaint o ffys drosti nes iddi anghofio tynnu 'nghoes i ynghylch y ddeiseb. *Gyda thipyn o lwc, bydd hi'n anghofio'n llwyr am y peth*, meddyliais.

* * *

Llithrodd yr wythnosau heibio, yr un mor ddiflas ag arfer. Roedd Alys yn anfon e-bost bob ychydig ddyddiau, a byddwn i wedi hoffi anfon ati hi bob dydd. Ond roedd Mam yn gwrthod. 'Fe fyddi di'n swnio'n desbret,' meddai. Roedd hynny'n berffaith wir, wrth gwrs, ond allwn i ddim cyfaddef wrth Mam rhag gorfod dioddef un o'r sgyrsiau difrifol ro'n i'n eu casáu.

Fedrwn i ddim chwaith anfon neges slei at Alys – dyw Mam ddim yn fodlon rhoi cyfrinair y cyfrifiadur i mi. Mae hi'n credu bod y rhyngrwyd yn lle hynod o beryglus i blant. 'Wel,' meddai Dad pan ddywedodd Mam hynny ryw dro, 'mae'r byd i gyd yn lle peryglus i blant. Pam na wnei di gloi Meg mewn tŵr ifori? Byddai hynny'n datrys y broblem.' Gwnaeth Mam un o'i stumiau 'dim-o-flaen-y-plant', a chaeodd Dad ei geg.

Roedd Alys a fi'n ffonio'n gilydd bob yn ail ddydd Sadwrn. Doedd gen i byth lawer i'w ddweud, ond roedd Alys yn byrlymu. Soniodd am Bethan unwaith neu ddwy, ac roedd hi'n amlwg yn gwneud ffrindiau newydd. Er 'mod i'n falch drosti, fedrwn i ddim peidio teimlo braidd yn eiddigeddus. Ambell dro, roedd hi'n crybwyll ei chynllun cyfrinachol, a minnau'n esgus nad oedd gen i fawr o ddiddordeb. Doedd hynny ddim yn wir, wrth gwrs.

Yna, tua chanol mis Hydref, derbyniais yr e-bost ro'n i'n gobeithio amdano.

Annwyl Meg
Y newyddion gorau erioed!!!!!
Dwi'n dod adref ar gyfer Calan Gaeaf. Dyw Jac ddim yn gallu dod am fod ganddo gêm bêl-droed (hwrê!), felly dim ond Dad a fi fydd yna. Dwi'n dod lan ar y trên, a galla i dy weld di bob dydd. Fe fydd e'n ffantastig! Mae Mam yn dweud y ca i aros am dri diwrnod. Baswn wedi hoffi aros yn hirach na hynny, ond wnes i ddim dadlau oherwydd Y CYNLLUN. Gwell i mi beidio dweud rhagor rhag ofn i rywun ddarllen hwn. Ydy dy fam di'n darllen dy negeseuon? Dyw f'un i ddim, ond dim ond oherwydd nad yw hi'n deall y cyfrifiadur (hir y pery!!). Beth bynnag,

cysylltaf eto'n fuan, a byddaf yn dy weld mewn 16 diwrnod! Alla i ddim aros!

Al xx

Teimlai'r 16 diwrnod yn debycach i 16,000. Bob nos, ro'n i'n croesi diwrnod arall i ffwrdd ar y calendr yn fy stafell wely. A bob nos, roedd Mam yn dweud, 'Fydd hynna ddim yn gwneud i'r amser fynd yn gyflymach, 'sti.' Roedd hi'n iawn, ond daliais ati ta beth. Doedd gen i ddim byd gwell i'w wneud.

O'r diwedd, roedd yn ddydd Gwener hanner tymor. Ro'n i mor hapus nes teimlo fel gweiddi a sgrechian dros bob man. Ond wnes i ddim, wrth gwrs, rhag tynnu sylw Mirain Mai a'i ffrindiau. Er hynny, fedrwn i ddim peidio rhoi rhyw sgip neu ddwy wrth gerdded adref o'r ysgol.

Ar ôl cyrraedd adref, newidiais o 'nillad ysgol a'u stwffio i mewn i'r fasged dillad brwnt. Fyddai dim rhaid i mi eu gwisgo eto am ddeg diwrnod gwych! Gwisgais fy jîns newydd a'r top roedd Mam wedi'i brynu i mi y diwrnod y symudodd Alys i Gaerdydd. Eisteddais yn fy stafell wely ac aros. Agorais lyfr neu ddau, ond fedrwn i ddim canolbwyntio.

Ro'n i'n aros am amser hir. Roedd hi bron yn chwech o'r gloch cyn i mi glywed car tad Alys yn stopio o flaen y tŷ. Rhuthrais at y drws ffrynt, mewn pryd i weld Alys yn camu allan o'r car. Do'n i ddim wedi ei gweld ers pum wythnos gyfan. Edrychai 'run fath ag arfer, heblaw ei bod yn gwisgo jîns newydd a siaced denim.

'Meg!' llefodd wrth fy ngweld i. Rhedodd draw ataf, a chawsom glamp o gwtsh.

Gwenodd ei thad. 'O, helô Megan. Mae'n amlwg eich bod chi'ch dwy'n falch iawn o weld eich gilydd. Hoffet ti ddod i mewn i'r tŷ gyda ni am sbel?'

Gwyddwn y byddai Mam yn grac 'mod i'n 'difetha eu hamser arbennig gyda'i gilydd', ond do'n i ddim yn becso taten.

'Grêt, diolch,' atebais, gan afael ym mraich Alys a cherddded gyda hi at y tŷ.

Teimlad od oedd bod yn y tŷ drws nesa eto. Cyn i Alys symud, ro'n i'n treulio hanner fy mywyd yno, ond do'n i ddim wedi tywyllu'r lle ar ôl iddi fynd. Roedd pobman yn daclus, ond yn teimlo'n oer. Aeth tad Alys â'i bag lan y staer, ac aethon ni'n dwy i'r stafell fyw. Roedd llyfrau Alys yn dal ar y silff, a theganau Jac yn dal yn y gornel lle roedden nhw'n arfer bod. Erstalwm roedd 'na ffotograff mawr du a gwyn o'r teulu uwchben y lle tân, ond bellach roedd hwnnw wedi diflannu.

Eisteddais i ar y bag ffa, a gorweddodd Al ar y soffa ledr – heb dynnu'i sgidiau. Sylwodd arna i'n edrych ar ei thraed.

'Dyna un peth da o gael dau gartref,' meddai. 'Mae 'na reolau gwahanol. Byddai Mam yn fy lladd i am roi fy nhraed ar y soffa, ond dyw Dad ddim yn becso. Ac yng Nghaerdydd dwi'n gallu gwneud yr holl bethau mae Dad yn eu casáu – gadael drysau ar agor, anghofio diffodd goleuadau ac ati – ac mae Mam yn anwybyddu'r cyfan. Cyn belled â 'mod i'n cadw'r lle'n eitha taclus, a heb wneud gormod o sŵn, dyw hi ddim yn cwyno.'

Chwarddais. Roedd hyd yn oed bod yn yr un stafell ag Al yn gwneud i mi deimlo'n hapus. Roedd gen i lwythi o bethau i'w dweud wrthi, ond yn gyntaf roedd yn rhaid i mi ofyn y cwestiwn mawr. Anadlais yn ddwfn. 'Reit, Al, dere nawr. Beth yw'r cynllun cyfrinachol 'ma? Sut wyt ti'n mynd i lwyddo i'n cael ni'n ôl gyda'n gilydd eto?'

Edrychodd Alys at y drws cyn sibrwd, 'Dwi ddim yn mynd 'nôl i Gaerdydd ddydd Llun.'

Ro'n i mor falch nes anghofio'n llwyr am y cynllun. 'Hei, mae hynna'n newyddion grêt,' llefais. 'Wyt ti'n aros am yr wythnos gyfan? Rhaid bod dy dad wrth ei fodd. Ond sut yn y byd y llwyddaist ti i newid meddwl dy fam?'

'Wel,' meddai Alys mewn llais dirgel, 'mae Mam yn meddwl 'mod i'n mynd yn ôl – ond dydw i ddim. Dyna'r cynllun.'

Er 'mod i'n meddwl y byd o Alys, roedd yn rhaid i mi gyfaddef ei bod hi weithiau'n cael syniadau cwbl wallgof. Roedd hi'n llawn cyffro, ac yn aml yn anghofio'i bod hi'n byw yn y byd go iawn yn hytrach nag mewn rhyw fyd delfrydol. Yn anffodus, roedd hi'n meddwl bod bywyd bob dydd yn debyg i fyd y ffilmiau – a doedd e ddim.

Edrychais arni. Gorweddai ar ei hyd ar y soffa, fel petai wedi ymlacio'n llwyr. Ond roedd rhyw ddisgleirdeb yn ei llygaid oedd wastad yn codi ofn arna i.

Roedd 'na un cwestiwn roedd yn rhaid i mi ei ofyn. 'Fydd dy dad ddim jest yn dy orfodi di i fynd yn ôl?'

'Wel,' atebodd, 'fydd e ddim yn gwybod am y peth.'

'A sut yn union wyt ti'n bwriadu trefnu hynny?'

'Hawdd!' meddai. 'Rwyt ti'n mynd i'm helpu i.'

Gwenais yn nerfus. Doedd dim byd byth mor hawdd ag roedd Alys yn ei feddwl. Ond doedd dim pwynt becso am y peth nawr. Roedd yn grêt ei chael yn ôl, ac os gallai hi – rywsut neu'i gilydd – aros am fwy o amser, wel, byddwn i'n gwneud popeth posib i'w helpu.

Y funud honno, canodd cloch y drws ffrynt. Seren oedd yno, yn edrych yn ciwt yn ei chôt wely binc a'i sliperi fflwfflyd.

'Megi. Adre,' meddai, gan edrych yn falch iawn ohoni'i hun.

'Sorri, Al,' dywedais. 'Does dim pwynt i mi ddadlau gyda Mam. Rhaid i mi fynd. Bydda i'n cael stŵr am dorri ar draws dy "amser arbennig" di gyda dy dad. Cha i ddim dod draw eto heno. Gei di ddod ata i, tybed?'

'Na, sai'n credu,' atebodd Alys. 'Mae Dad yn awyddus i ni gael pizza gyda'n gilydd. Dwi wir yn dechrau casáu pizzas! Ac mae e wedi llogi ffilm i ni ei gwylio. Dwi wedi'i gweld hi o'r blaen, gyda Mam, ond alla i ddim dweud hynny wrtho fe! Bydd raid i ni aros tan y bore, dwi'n ofni.'

Daeth tad Alys i mewn aton ni, felly allwn i ddim holi rhagor ynghylch y cynllun mawr. Fyddai Alys ddim yn becso. Roedd hi wrth ei bodd yn fy nghadw i yn y tywyllwch ar adeg fel hyn.

Daliai tad Alys y ffôn yn ei law. 'Ddrwg gen i dorri ar draws, ferched. Dwi ar fin archebu'r pizzas. Pepperoni i ti fel arfer, Alys?'

Y tu ôl i gefn ei thad, roedd Alys yn rhoi ei bys yn ei cheg, fel petai hi ar fin chwydu. 'Ie plis,' meddai. 'Jest y peth.'

Roedd yn rhaid i mi redeg mas drwy'r drws rhag i'w thad fy ngweld i'n chwerthin. Codais fy llaw ar Alys cyn mynd adref i gael swper – pasta organig. Grêt.

Pennod 8

Y bore wedyn, deffrais yn gynnar a gwisgo ar unwaith. Dwn i ddim pam, chwaith, gan 'mod i'n gwybod na fyddai Mam yn gadael i mi fynd drws nesa am sbel hir rhag ofn bod Alys a'i thad yn dal i gysgu.

'Dwi newydd gael syniad da,' meddai Mam yn gyffrous i gyd. 'Pam na wnei di fy helpu gyda'r gwaith tŷ nawr, wedyn pan fydd Alys wedi codi fe fyddi di'n rhydd i chwarae gyda hi.'

(Ro'n i bron yn ddeuddeg oed. Dyw Mam ddim yn sylweddoli bod merched fy oedran i ddim yn *chwarae* – maen nhw jest yn hoffi bod gyda'u ffrindiau.)

'Grêt,' dywedais yn sychlyd.

Treuliais yr awr nesa'n hwfro a dystio'r stafell fyw, ac yn helpu Mam i glirio cypyrddau'r gegin. Bob hyn a hyn byddwn yn dweud wrth Mam, 'Pam dwi'n gorfod gwneud cymaint o waith tŷ? Does neb arall yn gwneud. Dyw Mirain Mai ddim yn gorfod codi bys i helpu!'

Yr un ateb ro'n i'n ei gael bob tro gan Mam. 'Wel, dwi ddim yn fam iddi hi. Nid fy mai i yw e os yw hi'n cael ei difetha'n lân. Ac ers pryd wyt ti'n becso am Mirain Mai, beth bynnag?'

'Dwi ddim yn becso amdani, jest teimlo 'mod i'n gorfod gwneud mwy na neb arall dwi'n nabod. Dyw e ddim yn deg.'

'Dwi'n gwybod, bach,' meddai Mam mewn llais difrifol. 'Dyw e ddim yn teimlo'n deg i ti. Ond mae'n bwysig dy fod yn sylweddoli cymaint o waith yw cadw tŷ, ar ben popeth arall dwi'n gorfod ei wneud. Os na cha i help gen ti, wna i byth ddod i ben.'

Edrychais ar Mam. Roedd golwg flinedig arni. Felly gwnes fwy o ymdrech, a wnes i ddim cwyno unwaith pan oedd Mam yn gofyn i mi fynd lan y staer i nôl rhywbeth, neu fynd mas i roi rhywbeth yn y bin. Erbyn hanner awr wedi naw, roedd pobman yn sgleinio fel pìn mewn papur.

'Diolch i ti,' meddai Mam. 'Nawr gallwn ni ddechrau sortio'r cwtsh dan staer.' Ro'n i ar fin protestio pan ychwanegodd Mam, 'Tynnu dy goes di o'n i, bach. Gallwn wneud hynny rywbryd eto. Dos di nawr i weld os yw Alys wedi codi.' Rhoddodd sws ar fy moch gan ddweud, 'A diolch i ti am dy holl help.' Ac er 'mod i wedi esgus sychu'r sws i ffwrdd â llawes fy siaced, ro'n i'n falch o'i chael.

Agorodd Alys y drws cyn i mi gyrraedd ato, hyd yn oed, fel petai hi wedi bod yn aros amdanaf. 'O'r diwedd!' meddai. 'Dwi wedi codi ers oriau, ond roedd Dad yn gwrthod gadael i mi ddod draw'n rhy gynnar.'

'Roedd Mam 'run fath yn union,' dywedais. 'Bu raid i mi wneud llwythi o waith o gwmpas y tŷ – byddet yn meddwl bod rhyw seléb yn galw heibio!'

'Roedd pethau'n waeth i mi,' meddai Alys yn dawel. 'Ar ôl brecwast, aeth Dad i nôl pentwr o hen luniau er mwyn i ni edrych drwyddyn nhw gyda'n gilydd. Pan oedd e'n dod ar draws lluniau o'r pedwar ohonon ni, roedd ei lygaid yn llenwi a'i lais yn cracio.'

'O na!' llefais. 'Beth wnest ti?'

Chwarddodd Alys. 'Wel, fe wnes i ailadrodd

rhyw sgwrs glywais i ar y teledu y dydd o'r blaen – dweud 'mod i eisiau bod yn bositif, ac edrych 'mlaen i'r dyfodol, ac ati. Felly fe gawson ni gêm o Scrabble yn lle edrych ar y lluniau. Mae'n deimlad od: Mam a Dad yw'r oedolion, ond dwi'n treulio lot fawr o amser yn gofalu amdanyn nhw fel tasen nhw'n blant. Dwi'n gorfod bod mor ofalus; os dwi'n hapus, mae'n edrych fel taswn i ddim yn becso eu bod nhw wedi gwahanu. Ac os dwi'n drist, maen nhw'n teimlo'n euog.'

Ac am y tro cyntaf, ro'n i'n cael syniad o sut roedd Alys yn teimlo go iawn. 'Mae'n flin gen i, Al,' dywedais yn dawel. 'Ydy e'n ofnadwy i ti?'

Nodiodd, cyn codi'i chalon yn sydyn. 'Dere lan staer,' meddai. 'Rhaid i ni siarad.'

Roedd ei stafell wely mor anniben ag arfer, gyda dillad dros bob man. Ond o gwmpas pen ei gwely roedd goleuadau bach pinc pefriog.

'Waw, cŵl!' llefais.

'Ydyn,' atebodd Alys. 'Dad brynodd nhw. Mae e wastad yn prynu stwff i mi – mae'n rhan o'r busnes teimlo'n euog 'ma. Ond byddai'n well o lawer gen i gael pethau'n ôl fel roedden nhw. Gallwn i fyw heb y goleuadau.'

Es at y goleuadau a theimlo'r petalau pinc.

Roedden nhw'n wirioneddol bert – y math o beth y byddech yn disgwyl eu gweld yng nghartref plentyn rhyw deulu cyfoethog.

'Croeso i ti eu benthyg pan fydda i ddim yma,' cynigiodd Alys.

'Gwell i mi beidio, diolch,' atebais. 'Ti'n gwybod sut un yw Mam – byddai'n dweud eu bod nhw'n gwastraffu trydan.'

Dechreuodd Alys ddynwared llais Mam. 'Twt lol, ferched – dy'ch chi ddim yn gwybod unrhyw beth am gynhesu byd-eang? Beth maen nhw'n ei ddysgu i chi yn yr ysgol y dyddiau hyn?'

Chwarddais. Un dda am ddynwared lleisiau oedd Alys.

Eisteddais yn ei chadair newydd. 'Nawr 'te. Dwi wedi cael llond bol o aros. Dweda bopeth wrtha i am dy gynllun.'

Taflodd Alys ei hun ar y gwely yn gyffro i gyd. 'Mae'n un o'r syniadau gorau ges i erioed. Syml, ond effeithiol.'

'Paid â malu awyr – jest rho'r manylion i mi.'

'Wel,' dechreuodd gan wenu, 'dwi'n mynd i esgus mynd 'nôl i Gaerdydd, ond fydda i ddim. Bydd Dad yn meddwl 'mod i gyda Mam, a Mam yn meddwl 'mod i gyda Dad. Syml.'

Torrais ar ei thraws yn sydyn. 'Ond os na

fyddi di gyda dy fam, na gyda dy dad, ble yn union fyddi di?'

'Dyna'r peth gwych am y cynllun. Fe fydda i'n aros yn dy gartre di.'

Suddodd fy nghalon. Dyma, felly, oedd y gwendid mawr yn y cynllun. Doedd dim siawns i'r cynllun weithio – roedd yn fethiant o'r cychwyn cyntaf. Penderfynais ddweud y gwir wrth Alys cyn iddi fynd yn rhy gyffrous.

'Mae'n swnio'n hwyl, ond fyddai Mam a Dad byth yn gadael i ti aros gyda ni heb i dy rieni di wybod am y peth. Rwyt ti'n gwybod sut mae rhieni – wastad yn cefnogi'i gilydd.'

'Ond dyna'r peth sy'n gwneud y cynllun yma mor wych,' chwarddodd Alys. 'Fydd dy fam ddim yn gwybod 'mod i yno. Fe fydda i'n cuddio, fel taset ti wedi 'nghymryd i'n wystlon. Gallaf sleifio i mewn i dy stafell wely, a fydd neb ond ni'n gwybod 'mod i yno.'

Gallwn weld pob math o broblemau'n codi. Dyna oedd y gwahaniaeth mawr rhwng Alys a fi – ro'n i wastad yn gweld problemau lle roedd hi'n gweld cyfleoedd. 'A pha mor hir wyt ti'n credu y gallwn ni wneud hyn? Nes ein bod ni'n ddeunaw oed?' gofynnais.

'Nage siŵr,' atebodd Alys yn ddiamynedd.

'Dwi ddim yn gwbl wallgo! Bydd Dad yn mynd i Gaerdydd ddydd Gwener i 'ngweld i, a fydda i ddim yno.'

Gallwn weld y problemau fyddai'n codi. 'Fe fyddan nhw'n honco bost!' llefais.

Doedd Alys ddim fel petai hi'n becso. 'Wel, fe fyddan nhw mewn dipyn o banig, mae'n debyg,' meddai. 'Dyna'r holl bwynt.'

'Ac wedyn?'

'Ac wedyn, cyn iddyn nhw ddechrau becso go iawn, a chysylltu â'r heddlu, fe fydda i'n eu ffonio i ddweud 'mod i'n saff. Bydd pawb yn hapus ac yn falch.'

Gallwn weld i ble roedd hyn i gyd yn arwain. 'Ac wedyn,' dywedais, 'bydd dy rieni'n mynd 'nôl at ei gilydd, a'r pedwar ohonoch chi'n byw'n hapus gyda'ch gilydd am byth bythoedd? Mae'n flin gen i, Al, ond dyw pethau ddim mor syml â hynna. Rwyt ti wedi bod yn gwylio gormod o ffilmiau sopi, mae arna i ofn.'

Ysgydwodd Alys ei phen. 'Dwi ddim mor dwp â hynna, 'sti. Dwi'n sylweddoli na fydd hynny byth yn digwydd. Ond os gall Mam weld pa mor anhapus ydw i, falle y gwnaiff hi ystyried symud 'nôl i Aber. Wedi'r cwbwl, does ganddi ddim swydd yng Nghaerdydd, na dim byd i'w chadw hi yno. Gallai hi'n hawdd ddod 'nôl yma. Mae 'na fflatiau braf yn yr harbwr ac ar hyd y promenâd, a gallwn innau fynd 'nôl a 'mlaen rhwng y ddau heb unrhyw drafferth. Byddai cystal ag o'r blaen – yn well, hyd yn oed, gan na fyddai raid i mi wrando ar Mam a Dad yn cwympo mas o hyd ac o hyd. A gallen i fynd 'nôl i'r ysgol, a threulio amser gyda ti. Dyna fyddai'r peth gorau un!'

Roedd ei gwên yn gynnes fel yr haul, ac yn yr eiliad honno roedd popeth yn ymddangos yn wych ac yn ffantastig – ac yn gwbl bosibl.

Pennod 9

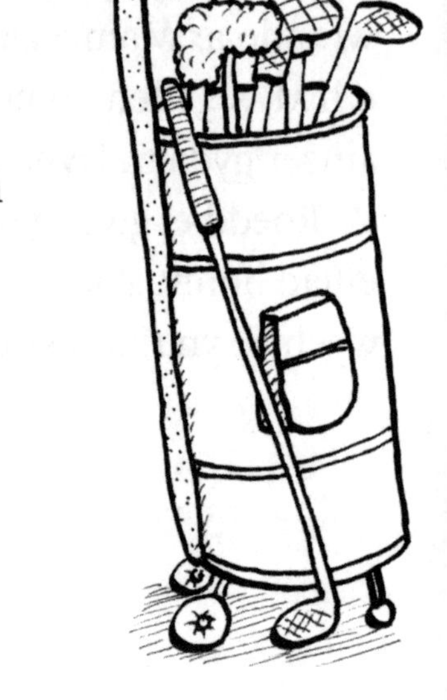

Y cam cyntaf yn y cynllun mawr oedd gwneud yn siŵr nad oedd tad Alys o gwmpas bnawn Llun, pan oedd hi i fod i ddal y trên yn ôl i Gaerdydd. Roedd yn rhyfeddol o hawdd. Aethon ni'n dwy ato ar ôl cinio dydd Sul, pan oedd yn ymlacio yn y lolfa gyda'r papurau newydd.

Sleifiodd Alys tuag ato, ac eistedd ar fraich ei gadair. Yna, gofynnodd i'w thad mewn llais siwgr candi, 'Daaad, wyt ti'n bwriadu chwarae golff y penwythnos hwn?'

Gwenodd yntau arni. 'Na'dw, bach. Dwi eisiau treulio cymaint o amser ag y galla i gyda ti, gan nad ydw i'n dy weld yn aml iawn.'

'Ond 'sdim gwahaniaeth gen i, Dad, wir yr. Dwi'n gwybod gymaint rwyt ti'n mwynhau chwarae golff. Oes 'na gystadleuaeth yn y clwb bnawn fory?'

Roedd Alys a fi eisoes wedi edrych yn y papur lleol, ac wedi cael y manylion.

Cododd tad Alys ei ben, ac edrych fel petai'n gwrando'n astud. 'Wel, nawr dy fod ti'n sôn, dwi'n credu bod 'na rywbeth 'mlaen. Ond alla i ddim – rhaid i mi fynd â ti i'r orsaf i ddal y trên.'

Fy nhro oedd hi nawr. Mewn llais hyd yn oed yn fwy siwgwraidd nag un Alys, dywedais, 'Mae Dad wedi cynnig mynd â hi. Rhaid iddo fynd i'r dre ta beth i gasglu rhyw bethau o'r swyddfa. Fydd e'n ddim trafferth, wir i chi.'

Edrychodd tad Alys yn ofalus arna i. Agorais fy llygaid led y pen, a cheisio edrych yn ddiniwed. Do'n i ddim yn bert – ddim fel Mirain Mai – ond, am ryw reswm, roedd oedolion wastad yn meddwl 'mod i'n dweud y gwir. Gwenais yn llydan.

Edrychodd tad Alys arni eto, a dweud, 'Ac rwyt ti'n siŵr bod hynny'n iawn gyda ti, bach?'

'Berffaith siŵr, Dad,' atebodd yn gadarn.

'Wel, wir,' meddai yntau. 'Ry'ch chi'n ddwy ferch hynod feddylgar. Dwi ddim wedi cael cyfle i chwarae golff ers wythnosau. Byddai'n grêt cael chwarae ychydig o dyllau. Fe af i drws nesa nawr i ddiolch i dy dad am ei help, Megan.' Cododd ar ei draed ac anelu am y drws.

Roedd raid i mi ymateb ar unwaith. 'Na, peidiwch,' dywedais. 'Does dim angen, wir i chi. Mae Dad yn brysur iawn. Mae e'n newid cewyn Seren . . .'

'Ydy,' ychwanegodd Alys. 'Mae Seren druan yn diodde'n ofnadwy o'r dolur rhydd. Cadw'n ddigon pell fyddai orau. Fedri di fyth ddychmygu'r drewdod! Byddai'n ddigon i dy lorio di . . .'

Edrychais yn gas ar Alys. Roedd hi'n mynd dros ben llestri, fel arfer. Caeodd ei cheg o'r diwedd, ac eisteddodd ei thad yn ôl yn ei gadair. Diolch byth, doedd e ddim yn sylweddoli nad oedd Seren wedi gwisgo cewyn ers blwyddyn neu ragor.

'Dyna ni, 'te,' meddai. 'Galla i ddiolch iddo y tro nesa y bydda i'n ei weld. Estynna'r ffôn i mi, Alys. Rhaid i mi ffonio'r clwb golff i drefnu amser fory.'

Tra oedd tad Alys yn ffonio, rhedodd y ddwy ohonon ni lan staer. Sibrydon ni 'Hwrê' bach tawel i ddathlu. Roedd y cam cyntaf yn llwyddiant ysgubol!

* * *

Y diwrnod wedyn, sefais yn yr ardd ffrynt yn gwylio Alys yn rhoi cwtsh i'w thad cyn iddo fynd i'r clwb golff.

'Wela i di ddydd Gwener, bach,' meddai wrthi. 'Dim ond pedwar diwrnod. Gwych, yntê? Dweda wrth dy fam y bydda i'n cyrraedd tua saith.'

Gwenodd Alys. 'Iawn, Dad, weda i wrthi. Dim ond pedwar diwrnod. Grêt!'

Ar ôl un cwtsh arall, edrychodd tad Alys ar ei watsh a neidio i mewn i'r car. Yna agorodd y ffenest ac edrych arna i. 'Wyt ti'n berffaith siŵr bod y trefniadau'n gyfleus i dy fam a dy dad? Fyddai'n well i mi gael gair gyda nhw cyn mynd?'

'Ymlacia, wir, Dad,' meddai Alys, braidd yn ddiamynedd. 'Dwi'n bwriadu treulio'r pnawn gyda Megan. Mae fy stwff i yn ei thŷ hi'n barod, a bydd ei thad yn mynd â fi i'r orsaf am bump o'r gloch. Popeth wedi'i sortio. Nawr dos, wir, neu fe fyddi di'n colli dy rownd o golff. Caru ti!' Rhoddodd sws i'w thad drwy'r ffenest agored, a gyrrodd yntau i ffwrdd.

Fe gawson ni bnawn hyfryd, jest fel yr hen ddyddiau. Buon ni'n chwarae tipyn o bêl-rwyd, ac yn sgwrsio'n ddiddiwedd. Roedd yn deimlad hyfryd, gwybod y bydden ni'n treulio cymaint o amser gyda'n gilydd dros y dyddiau nesaf.

Am bump o'r gloch, aethon ni i'r stafell haul yn ein tŷ ni. Roedd Dad yn pendwmpian, Seren yn chwarae gyda'i doliau ar y llawr, a Mam yn darllen y papur. 'Mae Alys wedi dod i ddweud hwyl fawr, Mam. Rhaid iddi fynd nawr i ddal y trên,' dywedais.

Cododd Mam ei phen o'r papur. 'Ydy hi'n amser i ti fynd yn barod, Alys fach? Dyw'r penwythnos ddim yn para'n ddigon hir, yn anffodus.' Cododd ar ei thraed. 'Fe ddo i mas i ffarwelio gyda ti.'

O na! Sut gallwn i ei pherswadio i aros yn y tŷ? Petai hi'n mynd mas, byddai'n gweld ar unwaith nad oedd golwg o gar tad Alys yn unman, a dyna ddiwedd ar ein cynllun ni. Roedd angen gweithredu ar frys. Heb feddwl ddwywaith, fe wnes i rywbeth gwirioneddol ofnadwy. Plygais i lawr, a phinsio Seren yn galed ar ei braich. 'WAAAAA!' sgrechiodd dros bob man, wrth i'r dagrau lifo i lawr ei hwyneb. Addewais i mi fy hun yn byddwn yn prynu losin iddi'n nes 'mlaen i ddweud sorri.

Neidiodd Alys at y cyfle. 'Fe af i nawr. Bydd Dad yn aros amdana i. Hwyl, bawb!' Diolch byth, roedd Mam mor brysur yn cysuro Seren nes anghofio'n llwyr am ffarwelio â hi.

Aeth Alys a fi mas drwy'r drws ffrynt. Arhoson ni yn yr ardd am ryw ddeng munud, wedyn es i'n ôl i mewn i'r tŷ. Roedd Seren wedi stopio llefain erbyn hynny, ond edrychodd yn gas arna i. Dal i bendwmpian roedd Dad, a Mam wedi mynd 'nôl at y papur newydd.

'Dwi am fynd i'm stafell am sbel,' dywedais mewn llais bach.

Cododd Mam ei phen ac edrych arna i'n llawn cydymdeimlad. 'Iawn, bach,' meddai, 'fe alwa i arnat ti pan fydd yn amser te. Dwi am wneud crempogau.'

Es i mewn i'm stafell. Yn ffodus, ro'n i'n cysgu lawr staer yn lle roedd y garej yn arfer bod. Roedd gen i hyd yn oed stafell molchi bach i mi fy hun. Roedd yn lle perffaith i guddio ffrind – er, dwi'n siŵr nad dyna oedd ar feddwl Mam a Dad pan gytunon nhw adael i mi ddefnyddio'r lle.

Agorais y ffenest ryw ychydig, a chwibanu'n isel – yr arwydd arbennig roedden ni wedi cytuno i'w ddefnyddio. Sleifiodd Alys o'r llwyni wrth ochr y tŷ, yn cario'i ches bach a'r sach gysgu roedden ni wedi'i fenthyg o'i stafell wely hi. Eisteddodd y ddwy ohonom ar y gwely, gan siarad a chwerthin yn dawel am sbel. Ro'n i'n teimlo cymysgedd o ofn a hapusrwydd.

Yn nes 'mlaen, daeth Mam draw i ddweud bod te'n barod. Yn ffodus iawn, ro'n i wedi mynnu ers rhyw flwyddyn ei bod hi a Dad yn curo'r drws cyn dod i mewn. Wedi'r cwbl, a minnau bron yn ddeuddeg oed, ro'n i angen tipyn o breifatrwydd. Felly, pan gurodd Mam ar y drws, roedd gan Alys ddigon o amser i rolio o dan y gwely allan o'r golwg. Gweithiodd hynny'n grêt – dim syndod, mewn gwirionedd, gan ein bod wedi ei ymarfer tua chant o weithiau!

Bwytais fy nhe cyn gyflymed ag y gallwn, a mynd yn ôl i'm stafell. Doedd Alys druan ddim yn hapus. 'O, Meg,' llefodd. 'Roedd y crempogau 'na'n arogleuo'n ffein! Allet ti ddim dod ag un fach i mi?'

'Sorri, Al,' ymddiheurais. 'Allwn ni ddim fforddio cymryd siawns. Allwn i byth esbonio wrth Mam pam 'mod i'n cario crempogau i'm stafell. Dyw hi byth yn gadael i mi fwyta yma ta beth.'

'Ti sy'n iawn, sbo,' meddai Alys yn dawel.

''Sdim angen i ti fecso,' dywedais gan wenu. 'Mae 'na lwythi o fwyd yma.' Es at y wardrob ac estyn y bag roedden ni wedi bod yn ei lenwi byth ers i ni ddechrau cynllunio.

Agorodd Alys y bag ac edrych i mewn iddo. 'Hmmm . . . falau, bananas, bisgedi neu gracyrs,' meddai'n sychlyd. 'Dwn i ddim ble i ddechrau.'

Yn sydyn, roedd y bwyd roedden ni wedi'i gasglu yn edrych braidd yn bathetig. Teimlwn innau'n euog wrth feddwl am y saith o grempogau melyn, blasus ro'n i newydd eu bwyta, a'r rheiny'n diferu o fenyn, siwgr a lemon.

Ceisiais swnio'n galonogol. 'Paid â phoeni, Al,' dywedais. 'Dim ond ar gyfer heno mae hwn. Gallwn ni gael rhywbeth gwell erbyn fory.'

''Sdim ots,' atebodd, gan frathu ar afal. 'Galla i fod yn ddewr. A bydd y cyfan yn werth y drafferth yn y diwedd, gei di weld.'

Pennod 10

Es i mewn i'r stafell fyw tua wyth o'r gloch. Edrychodd Mam lan o'i gwaith gwnïo – roedd hi'n clytio pyjamas Seren. Dwi'n siŵr nad oes teulu arall yng ngorllewin Cymru lle mae disgwyl i'r plant wisgo pyjamas wedi'u clytio. Fedrwn i ddim peidio agor fy ngheg, er na fyddai Mam yn cymryd unrhyw sylw.

'Mam, dy'n ni ddim yn dlawd. Mae Dad mewn swydd dda. Pam na elli di brynu pyjamas newydd i Seren? Mae 'na rai hyfryd yn siop newydd Tesco, ac maen nhw'n ddigon rhad hefyd.'

'Megan fach,' ochneidiodd Mam. 'Sawl gwaith mae'n rhaid i mi ddweud wrthot ti? Nid trio arbed arian ydw i, ond arbed yr amgylchfyd. Fedra i ddim taflu'r pyjamas i'r bin dim ond am eu bod nhw wedi treulio tipyn.'

'Treulio tipyn, wir!' chwarddodd Dad. 'A dweud y gwir, Hafwen, maen nhw mor denau nes dy fod yn gallu gweld trwyddyn nhw!'

Edrychodd Mam yn gas arno, a thawelodd yntau'n sydyn. Teimlwn yn euog am achosi drwgdeimlad rhyngddyn nhw. 'Dim ond dod i mewn i ddweud nos da o'n i,' dywedais yn ysgafn. 'Dwi ar fin mynd i'r gwely.'

Rhoddodd Mam y pyjamas o'i llaw a theimlo fy nhalcen. 'Wyt ti'n teimlo'n iawn?' holodd. 'Dyw e ddim fel ti i fynd i'r gwely mor gynnar, yn enwedig gan fod dim ysgol fory.'

Gwenais yn flinedig. 'Dwi'n iawn, Mam, ond braidd yn flinedig. Chysgais i ddim yn rhy dda neithiwr. Falle gwna i ddarllen am sbel.'

Doedd Mam ddim wedi'i hargyhoeddi'n llwyr, ond dywedodd, 'Iawn 'te, bach. Cofia lanhau dy ddannedd. Dof draw toc i ddweud nos da.'

Doedd dim pwynt dadlau gyda Mam. Ro'n i'n gwybod y byddai hi – hyd yn oed pan fyddwn i'n ugain oed – yn mynnu fy lapio'n glyd yn y gwely.

Byddwn yn cyrraedd adre o ryw ddisgo am 3 y bore, a byddai hithau'n aros amdanaf yn ei phyjamas a'i sliperi, yn barod amdanaf.

Rhaid i Alys ofalu ei bod yn cuddio cyn iddi hi ddod i mewn, meddyliais. Es draw i roi sws i Dad, a mynd i'm stafell wely.

Gwisgais fy mhyjamas, ac wedyn cloi fy hun yn y stafell molchi. Agorais y ffenest a chwibanu'n isel. Dringodd Alys mas drwy ffenest y stafell wely ac i mewn drwy ffenest y stafell molchi. Dringais innau mas drwy ffenest y stafell molchi ac aros yn yr ardd nes bod Alys wedi gorffen. Ro'n i bron â rhynnu, a phenderfynais beidio newid i 'mhyjamas y noson ganlynol ar gyfer y rhan yma o'r cynllun. Yna dringodd Alys mas drwy ffenest y stafell molchi, a dringais innau i mewn. Ar ôl bod yn y tŷ bach, glanhau fy nannedd, a molchi, agorais ddrws y stafell molchi a cherdded yn ddi-hid i lawr y cyntedd i'm stafell wely.

Roedd Alys yno'n aros amdana i, yn gorwedd yn ei sach gysgu ar y llawr wrth ochr fy ngwely. 'Whiw!' dywedodd yn dawel. 'Roedd hynna'n gymhleth! Byddwn ni'n arbenigwyr ar ddringo erbyn dydd Gwener, ac yn barod i fynd i'r afael â Chrib Goch!'

'Jest diolcha 'mod i ddim yn cysgu lan staer!' dywedais.

'Ti'n iawn,' cytunodd Alys. 'Ond dwyt ti ddim yn credu y gallwn i gymryd siawns a rhedeg ar hyd y cyntedd i'r tŷ bach?'

'Dim gobaith,' atebais yn bendant. 'Allwn ni ddim fforddio mentro. Os bydd Dad neu Mam yn dy weld, bydd yn ddiwedd y byd arnon ni. Dwi'n benderfynol bod hyn yn mynd i weithio.'

Roedd hynny'n berffaith wir. Er 'mod i'n amheus ar y dechrau, ro'n i wedi perswadio fy hun bod Alys wedi dyfeisio cynllun gwych. Roedd yn *rhaid* iddo weithio. Yr unig beth oedd ar fy meddwl oedd cael Alys 'nôl yn Aber. Cyn gynted â phosib – ac am byth. Ro'n i eisiau i ni fod yn yr un ysgol a'r un dosbarth eto. Yn dal i fod yn ffrindiau gorau pan oedden ni'n wirioneddol hen – 17 neu 18 oed. A phetai raid i mi ddringo mewn a mas o ffenestri am ychydig ddyddiau er mwyn i'r cynllun weithio, wel roedd yn bris bychan iawn i'w dalu.

Edrychodd Alys ar ei watsh a mynd i dipyn o banig. 'O na, mae'n hen bryd i mi ffonio Mam!' llefodd. 'Hwn yw'r peth anoddaf. Beth wna i os na fydd hi'n fy nghredu i?'

'Wrth gwrs y gwnaiff hi,' atebais gan geisio

swnio'n hyderus. 'Pam na ddylai hi? Bydd popeth yn iawn, gei di weld.'

Ond, yn ddistaw bach, ro'n i'n becso. Alys oedd y Prif Gynllunydd bob amser, a phetai hi'n colli'i phlwc do'n i ddim yn siŵr pa mor hir y gallwn i gadw pethau i fynd.

Edrychai Alys yn reit nerfus wrth estyn am ei ffôn symudol. Yna, yn dal yn ei sach gysgu, sleifiodd i mewn i 'ngwely i fel rhyw neidr binc a phorffor anferth. Gosododd ei hun yn gyfforddus ar y gobennydd a phwyso rhifau'r ffôn.

Symudais yn agos ati er mwyn gallu clywed dwy ochr y sgwrs.

'Haia, Mam; fi sy 'ma.'

'O, haia, bach. Ro'n i ar fin paratoi i fynd i'r orsaf i dy gasglu di. Ydy'r trên ar amser?'

'A bod yn onest, Mam, dwi ddim ar y trên. Ro'n i'n teimlo braidd yn sâl, felly dwedodd Dad y byddwn i'n cael aros yn Aber.'

'Sâl?' meddai ei mam yn ddiamynedd. 'Beth sy'n bod arnat ti? Ydy Dad yn edrych ar d'ôl di'n iawn? Wyt ti wedi dala annwyd? Hollol nodweddiadol o dy dad!'

'Na, Mam,' meddai Alys yn y llais mwyn mae hi'n ei ddefnyddio wrth siarad gyda Seren. 'Nid bai Dad yw e. Dwi wedi cael rhyw hen fỳg stumog cas a fedrwn i ddim wynebu'r daith ar y trên. Sorri, Mam.'

Ochneidiodd ei mam yn drwm. 'O wel, does dim byd allwn ni wneud nawr, nag oes? Does 'na 'run trên arall heno ta beth. Rho'r ffôn i Dad i mi gael gair gydag e.'

Petrusodd Alys am eiliad. 'Ymm . . . Dyw e ddim yma ar hyn o bryd,' meddai.

'Ddim yna? Ble mae e?' Swniai ei mam yn grac. 'Sut gall e dy adael ar dy ben dy hun a tithau'n sâl? Beth sy'n bod ar y dyn dwl?'

''Drycha, Mam, dwi ddim ar fin marw. Dwi ddim mor sâl â hynna – jest methu wynebu taith bell. Mae Dad wedi bod yn grêt gyda fi drwy'r penwythnos, a fi sy wedi mynnu ei fod e'n mynd mas am dipyn o awyr iach.'

Clywais ochenaid fawr arall yn dod o ben arall y ffôn. 'Iawn. Wela i di fory, 'te. Ffonia fi i ddweud faint o'r gloch mae dy drên di'n cyrraedd Caerdydd.'

Dyma oedd y rhan anoddaf o'r cynllun. Daliais fy anadl wrth aros i Alys ateb.

'A dweud y gwir, Mam, dwi'n meddwl falle bydda i'n dal i deimlo'n rhy sâl i deithio fory hefyd. Gwell i mi aros yn y gwely am y diwrnod.

Mae mam Megan wedi cynnig cadw llygad arna i tra mae Dad yn y gwaith.'

Cafwyd saib am eiliad neu ddwy, a phan siaradodd mam Alys eto roedd ei llais yn llawn gwenwyn. 'Wel, mae hynna'n hollol nodweddiadol o dy dad. Dibynnu ar bobl eraill i ofalu amdanat ti tra mae e'n joio yn y gwaith. Dwi'n siŵr bod gan mam Megan ddigon ar ei phlât heb orfod becso amdanat ti hefyd. Rhaid i ni . . .'

Gwenodd Alys yn slei arna i. 'O, Mam, rhaid i mi fynd, sorri. Dwi'n credu 'mod i ar fin chwydu eto. Fe wna i ffonio eto fory.' A chyn diffodd y ffôn gwnaeth sŵn torri gwynt hollol ych a fi.

Edrychais arni'n llawn edmygedd. 'Waw, rwyt ti'n wych am ddweud celwydd,' dywedais. 'Dwi'n hollol anobeithiol!'

Gwenodd yn hunanfoddhaus. 'Hawdd!' meddai. 'Ond rhaid cael digon o ymarfer. Dere nawr – dweda gelwydd wrtha i.'

Meddyliais am eiliad cyn dweud, 'O, wn i – Mirain Mai yw'r ferch hyfrytaf yn y byd i gyd.'

Roedd golwg siomedig ar wyneb Alys. 'Na, dwyt ti ddim wedi fy argyhoeddi i. Tria eto – rhywbeth y galla i ei gredu y tro hwn.'

'Reit – beth am hyn? Mae Seren yn athrylith.

Fi yw'r unig berson yn y byd sy'n gwybod ei bod hi'n gallu siarad pump o ieithoedd.'

'Paid â bod yn dwp,' meddai Alys yn sychlyd. 'Wrth gwrs bod hynna'n gelwydd. Fel arall, byddai'n wyrth.'

Do'n i ddim am ddechrau dadlau gyda hi. Beth bynnag, os oedd hi'n bwriadu cuddio yn fy stafell i am y pedair noson nesaf, byddai'n haws tasen ni ddim yn cwympo mas. Edrychodd y ddwy ohonom ar ein gilydd a gwenu. Roedden ni'n amlwg yn meddwl 'run peth.

'Sorri, Meg,' meddai Alys. 'Gad i mi chwarae rhywbeth arall – fel "Pethau ry'n ni'n eu casáu am Mirain Mai". Dos di gyntaf.'

Gwenais. Hon oedd fy hoff gêm, ac ro'n i'n gallu ei chwarae'n dda. 'Reit. Dwi wir yn casáu'r ffordd mae hi'n nodio drwy'r amser pan mae'r athrawes yn siarad, fel tasai hi'n gwybod popeth yn barod.'

'Ie, da iawn. Fy nhro i nawr. Dwi wir yn casáu'r ffordd mae hi'n fflicio'i gwallt wrth wisgo'i chôt, ac wedyn yn edrych o gwmpas i wneud yn siŵr bod pawb yn ei gwylio.'

Buan iawn yr aeth awr heibio, ac estynnodd Alys am ei ffôn unwaith eto. Y tro hwn, pwysodd rif ffôn symudol ei thad.

Atebodd ar unwaith, 'Helô?'

Ro'n i'n teimlo ei fod yn swnio'n unig, ond falle taw dychmygu o'n i.

'Haia, Dad. Fi sy 'ma, Alys.'

'O, helô bach. Wyt ti wedi cyrraedd adre'n barod?'

Ydw, Dad. Popeth yn iawn. Diolch am bopeth dros y penwythnos. Sut aeth y golff?'

'O, eitha, ond ddim yn ddigon da.'

Chwarddais yn ddistaw. Dyna beth roedd tad Alys wastad yn ei ddweud.

Dangosodd Alys fwy o gydymdeimlad. 'O, mae'n ddrwg gen i, Dad. Bydd pethe'n well y tro nesa, gei di weld.'

Yna cawson nhw ryw sgwrs tad-a-merch sopi, ddiflas, am ychydig funudau cyn i dad Alys ddweud, 'Rho'r ffôn i dy fam i mi gael gair bach gyda hi.'

Roedd Alys wedi paratoi ar gyfer hynny. 'Alla i ddim, Dad, sorri. Mae hi wedi mynd mas am ychydig. Dwi'n edrych ar ôl Jac.'

Camgymeriad mawr. 'Iawn. Gad i mi gael gair gydag e, 'te.'

'O, 'na drueni, mae e newydd gwympo i gysgu. Ga i roi sws iddo fe drosot ti?'

Fyddai Alys ddim yn cynnig rhoi sws i'w

brawd heblaw bod rhywun yn cynnig arian mawr iddi am wneud, ond diolch byth feddyliodd ei thad ddim am hynny.

'O, ie plis. Rho sws ar ei drwyn bach ciwt e, wnei di?'

'Wrth gwrs,' meddai Alys gan dynnu stumiau arna i.

'Gwell i mi fynd, bach. Rwyt ti'n siŵr o fod wedi blino. Wela i di ddydd Gwener, iawn?'

'Ie, grêt, Dad,' atebodd Alys. 'Edrych 'mlaen.'

Diffoddodd y ffôn, gan ychwanegu '. . . ac erbyn hynny bydd fy mywyd yn newid. Er gwell.'

Cawsom gwtsh mawr, a gwenodd Alys yn llydan. 'Cam dau wedi'i gyflawni'n llwyddiannus. Ry'n ni ar ein ffordd!'

Pennod 11

Ro'n i'n methu'n lân ag ymlacio nes bod Mam wedi bod yn dweud nos da, a'm lapio i yn y gwely. Fel arfer, ro'n innau'n mwynhau'r ddefod bach hon – teimlwn yn glyd ac yn saff, fel taswn i'n blentyn bach eto. Ond roedd heno'n wahanol, a fedrai Alys a fi ddim setlo tan ar ôl i Mam fod draw.

Gorweddodd Alys ar y llawr wrth ochr fy ngwely, a bu'r ddwy ohonom yn sibrwd wrth ein gilydd nes, o'r diwedd, curodd Mam ar y drws. Rholiodd Alys yn gyflym o dan y gwely, gan fynd â'r sach gysgu gyda hi.

'Dewch i mewn,' galwais, gan deimlo fel un o'r tri mochyn bach yn gwahodd y blaidd i mewn i'w dŷ.

Agorodd Mam y drws ac eistedd ar y gwely.

Arwydd drwg – nid y sws gyflym arferol ro'n i'n mynd i'w chael heno. Roedd hyn yn ddifrifol.

'Wyt ti'n teimlo'n well nawr?' holodd Mam, gan roi ei llaw ar f'ysgwydd.

'Mmmmm.'

'Mae'n anodd, on'd yw e, gydag Alys wedi mynd. Rhaid dy fod ti'n ei cholli'n ofnadwy.'

'Mmmmm.' Fedrwn i ddim meddwl beth arall i'w ddweud. Beth yn y byd fyddai ymateb Mam tasai hi'n gwybod bod Alys yn gorwedd ychydig fodfeddi oddi wrthi, yn anadlu'r llwch o dan fy ngwely ac yn gwrando ar bob gair?

Setlodd ei hun yn fwy cyfforddus a dweud, 'Fe ddigwyddodd rhywbeth tebyg i minnau pan o'n i 'run oed â ti.'

O na, meddyliais. *Un arall o straeon Mam – rhyfedd fel mae popeth sy'n digwydd i mi wedi digwydd iddi hithau ar ryw adeg.*

'A wyddost ti beth?' holodd.

'Roedd popeth wedi troi allan yn iawn yn y diwedd,' atebais mewn llais plentynnaidd. Ond, ar unwaith, ro'n i'n teimlo'n euog. 'Sorri, Mam,' ychwanegais yn fy llais arferol, 'diolch am drio helpu.'

'Popeth yn iawn, bach,' meddai. 'Ti'n gwybod 'mod i wastad yma i ti, dwyt?'

Cododd ar ei thraed, ac yn yr eiliad honno gwelodd y ddwy ohonon ni yr un peth – crys chwys coch, wedi'i blygu'n daclus ar waelod fy ngwely. Gafaelodd Mam ynddo a'i agor allan. 'Beth yw hwn? Crys Alys yw e?' holodd.

'O, ie,' atebais, gan frwydro i gadw fy llais yn normal. 'Roedden ni wedi cyfnewid. Rhois i fy nghrys . . .' Mewn panig, ceisiais feddwl am ryw grys nad oedd yn y smwddio nac yn y fasged dillad brwnt. Roedd Mam wastad yn gwybod yn union ble roedd popeth. '. . . fy nghrys glas a gwyn iddi hi. Nes daw hi yma eto. 'Sdim gwahaniaeth gen ti, nac oes?'

'Dim o gwbl, os yw e'n gwneud i ti deimlo'n well, cariad. Reit, nos da nawr 'te.'

'Nos da, Mam.'

Ro'n i'n disgwyl iddi fynd, ond wnaeth hi ddim. Eisteddodd ar y gwely eto. 'Wyt ti'n cofio'r amser pan oeddet ti'n ifanc iawn?'

Do'n i ddim, mewn gwirionedd, ond roedd Mam yn cofio pob manylyn bach.

'Wyt ti'n cofio gofyn i mi edrych o dan y gwely bob nos i wneud yn siŵr bod dim anghenfil yno?'

O na! meddyliais. *Pam sôn am hynna nawr? Oedd hi'n amau rhywbeth? Oedd hi'n bwriadu ail-*

fyw fy mhlentyndod wrth edrych o dan y gwely? Ai dyma ddiwedd y Cynllun Mawr?

'Hen beth dwl oedd hynny, yntê?' dywedais, yn fy llais mwyaf aeddfed. 'Dwi'n rhy hen nawr i boeni am anghenfil o dan y gwely.'

'Wyt, wrth gwrs,' meddai Mam, gan swnio braidd yn siomedig. 'O wel, gwell i mi fynd, sbo. Nos da, bach.' Ac o'r diwedd, cododd ar ei thraed a cherdded at y drws.

Gorweddais i lawr a swatio o dan y dwfe. Diffoddodd Mam y golau a chau'r drws ar ei hôl.

Ychydig eiliadau'n ddiweddarach, rholiodd Alys allan o'i chuddfan. Mewn llais sbŵci, llafarganodd, *'Fi yw dy hunllef waethaf! Fi yw'r anghenfil sy'n byw o dan y gwely!'*

Chwarddodd y ddwy ohonom – yn dawel. Yn y llwydolau, gallwn weld bod Alys yn gafael mewn pâr o sanau brwnt. 'Ych, Meg,' meddai. 'Mae'r rhain yn drewi. Ers pryd maen nhw o dan y gwely?'

'Ymm . . . wel,' dywedais, 'os taw rhai pinc y'n nhw, tua pedair blynedd falle?'

'O na!' sibrydodd Alys, a gallwn glywed y sanau'n taro'r wal uwchben fy ngwely. 'Ych a pych! Byddai Mam yn hanner fy lladd i taswn i'n gadael dillad brwnt o dan y gwely. Ond, ar y llaw arall, mae dy fam di'n glên. Roedd hi'n amlwg yn teimlo trueni drosot ti.'

'Oedd, dwi'n gwybod,' ochneidiais. 'Dyw hi ddim yn rhy ddrwg, chwarae teg. Mae hi'n gallu bod yn lot o hwyl, ac weithiau mae'n gadael i ni wneud pethau dwl. Wyt ti'n cofio'r adeg pan adawodd i ni wneud popcorn heb roi caead ar y sosban?' Cafodd y ddwy ohonon ni bwl o chwerthin wrth feddwl am y peth. 'Wyt ti'n cofio'r popcorn yn ffrwydro i bobman, a ninnau'n rhuthro o gwmpas yn ceisio'i ddal, ac yn sgrechian fel ffyliaid?' gofynnais.

Yn sydyn, tawelodd Alys. 'Ydw, cofio'n iawn. Fyddai hynny ddim wedi digwydd yn ein tŷ ni. Os oes un briwsionyn o fwyd yn cyffwrdd y llawr, mae Mam yn mynd i banig. Mae dy fam di'n grêt. Ti'n lwcus.'

'Mmmmm . . .'

'Ac wyt ti'n cofio, adeg y gystadleuaeth bêl-droed yn Ffrainc, bod dy fam wedi defnyddio lliwur bwyd a rhoi tatws stwnsh coch, gwyn a gwyrdd ar y platiau amser swper?'

'Beth? Fyddai Mam byth yn defnyddio rhywbeth artiffisial fel lliwur bwyd!'

'Ond dwi'n cofio'r peth yn iawn. Roedd hi wedi gosod y tatws ar siâp baner ar y platiau, a defnyddio darn o licris neu rywbeth fel polyn.'

'O, ie, ti'n iawn. Ond mae'n debyg taw spigoglys oedd y lliw gwyrdd, a thomatos oedd y lliw coch. Hefyd, os dwi'n cofio'n iawn, darn o seleri oedd y polyn. Twyll oedd y cyfan, i geisio 'mherswadio i i fwyta mwy o lysiau.'

'O leia roedd hi'n gwneud ymdrech i wneud bwyd yn hwyl i ti a Seren,' meddai Alys.

Yn sydyn, ro'n i'n teimlo'n euog am gael mam neisiach nag un Alys. Ceisiais feddwl am rywbeth gwael i'w ddweud am Mam, er bod hynny'n gwbl annheg. Ond roedd gen i reswm da dros wneud.

'Dyw Mam ddim yn berffaith,' dywedais. 'Mae hi'n gwisgo fel rhywun o'r wythdegau – fel y fam yn y llyfrau 'na roedden ni'n eu darllen yn yr ysgol fach erstalwm.'

'Wel, nawr dy fod ti'n sôn . . .' A chwarddodd y ddwy ohonom.

'Mae steil ei gwallt 'run fath yn union, a dyw hi ddim wedi cael ffrâm sbectol newydd ers oesoedd. Mae ei dillad yn edrych fel tasai hi ar fin mynd mas i balu'r ardd, ond mae dy fam di fel pìn mewn papur bob amser.'

'Ydy, mae hi,' meddai Alys gan ochneidio. 'Ond mae'n cadw'n ddigon pell oddi wrth Jac a fi. Y dydd o'r blaen, dangosodd Jac lun roedd e wedi'i beintio iddi, a symudodd i ffwrdd oddi wrtho ar unwaith dan wichian rhag ofn iddi gael paent ar ei siaced wen newydd. A'r dydd o'r blaen, pan o'n i'n hiraethu am Dad, roedd hi'n mynd 'mlaen a 'mlaen am ba mor drist oedd hi bod un o'i gwinedd newydd wedi torri. Nid dyna fel mae mam i fod i ymddwyn. Fe ddylai hi ddeall sut dwi'n teimlo – dyna'i gwaith hi.'

O diar, meddyliais, *dwi wedi dweud y peth anghywir eto.*

'Cofia di,' dywedais, i geisio codi calon Alys, 'pan mae hi'n ymddwyn fel petai'n ffrind i mi, yn hytrach na mam, dwi'n teimlo *mor* annifyr. Yn ei hoed hi, fe ddylai wybod y gwahaniaeth rhwng bod yn fam a bod yn ffrind, a chanolbwyntio ar y pethau mae hi'n dda am eu gwneud. Wyt ti'n cytuno?'

Atebodd Alys mewn llais tawel, trist. 'Rwyt ti'n iawn, ond beth os yw dy fam yn dda i ddim ond i wneud pethau an-famol, fel chwarae golff, cael trin ei gwallt, a gwisgo colur?' Craciodd ei llais yn sydyn. 'Dwi ddim yn credu bod Mam hyd yn oed yn hoffi bod yn fam. Mae hi'n ymddwyn fel petai hi'n difaru cael Jac a fi. Dwi'n teimlo'n bod ni'n niwsans – ac yn difetha'i bywyd hi.'

Wyddwn i ddim beth i'w ddweud. Doedd Alys erioed wedi siarad fel'na am ei mam o'r blaen, ac roedd ei llygaid yn llawn dagrau. Rhoddais gwtsh iddi, ac eisteddodd y ddwy ohonom yn dawel am funud neu ddau.

Yn sydyn, sychodd Alys ei llygaid a dweud yn llon, 'Wel, rhaid i ni wneud yn siŵr bod ein cynllun yn gweithio, felly. Rhaid i mi berswadio Mam i symud 'nôl i Aber, wedyn byddwn ni i gyd yn byw'n hapus am byth bythoedd . . . neu rywbeth fel'na.'

'Cytuno – a dwi'n siŵr y llwyddwn ni yn y diwedd.'

Ar ôl hynny, buon ni'n trafod Mirain Mai eto – pa mor falch oedd hi, ei ffordd o fflicio'i gwallt i dynnu sylw, a'r ffaith ei bod yn swagro o gwmpas yr ysgol fel petai hi'n berchen ar y lle. Ac fel bob amser, roedd trafod Mirain Mai yn gwneud i ni deimlo'n llawer gwell.

O'r diwedd, cwympodd y ddwy ohonom i gysgu.

Roedd y diwrnod cyntaf ar ben.

Pennod 12

Yr ail ddiwrnod.

Ro'n i'n teimlo'n wahanol, rywsut, pan ddeffrais. Chydig yn drist. Chydig yn hapus. Chydig yn gyffrous. Ac yn eitha nerfus hefyd.

Bu Alys a fi'n siarad yn ddistaw am sbel cyn gwisgo. Yna aethon ni drwy'r un broses gymhleth o fynd i mewn a mas drwy'r ffenestri er mwyn i Alys gael mynd i'r tŷ bach.

'Wel, roedd hynna'n hwyl!' chwarddodd. 'Dylen ni ddyfeisio gêm newydd o'r enw Taclo'r Toiled. Syniad da?'

'Syniad gwych,' cytunais. 'Gallen ni baratoi fideos . . . a gwneud ein ffortiwn!'

‘A bod y rhai cyntaf i ennill Pencampwriaeth y Byd, yn cynrychioli Cymru yn y gamp newydd! Neu . . .’

Yn sydyn, clywais lais Mam yn galw o’r cyntedd. ‘Megan Huws, wyt ti’n bwriadu codi heddiw? Mae brecwast yn barod ers meitin.’

Gwthiodd Alys ei hun o dan y gwely, gan fynd â’r sach gysgu gyda hi. Galwais innau, ‘Iawn, Mam. Dod nawr.’

Pan glywson ni Mam yn mynd ’nôl i’r gegin, daeth Alys i’r golwg eto, a gwên lydan ar ei hwyneb. Roedd hi wrth ei bodd mewn sefyllfa beryglus fel hon, ac yn amlwg yn mwynhau’r cyfan. Trueni na allwn i deimlo ’run fath.

Gan wybod y byddai Mam yn siŵr o ddod i’m nôl taswn i ddim yn ymddangos yn fuan, es i’r gegin. Roedd Seren yno, yn ei hen byjamas clytiog, yn bwyta powlenaid o uwd organig. Druan bach. Roedd hi’n rhy ifanc i ddeall pa mor drist oedd ei bywyd.

Gan nad oedd yn ddiwrnod ysgol, ces ganiatâd i gael trît mawr – Weetabix i frecwast yn lle uwd! Ar ôl gorffen bwyta, es i helpu Mam am sbel. Pan aeth hi i’r stafell gefn i roi stwff yn yr ailgylchu, dilynodd Seren hi a gwelais innau fy nghyfle. Taflais ddau Weetabix i mewn i bowlen, gafael mewn llwy, a rhuthro i'm stafell wely.

'Dim ond fi sy 'ma,' sibrydais.

Rholiodd Alys i'r golwg o dan y gwely. Doedd hi ddim yn edrych yn hapus iawn wrth weld cynnwys y bowlen estynnais i ati.

'Paid â phoeni,' dywedais. 'Fe gaf i laeth i ti hefyd, ond allwn i ddim dod â'r cyfan 'run pryd.'

Es yn ôl i'r gegin, estyn y llaeth o'r oergell a thywallt gwydraid mawr i mi fy hun. Roedd Mam yn brysur yn glanhau olion yr uwd oddi ar y stôf.

'Jest fel dy dad,' meddai'n bigog. 'Yn dri deg naw oed, byddet ti'n meddwl y gallai baratoi sosbanaid o uwd heb adael iddo ferwi dros bob man. Sôn am ddysgu trwy brofiad!'

Chwarddais yn boléit cyn dweud, 'Dwi'n mynd i ddarllen yn fy stafell am sbel.'

'Wyt ti'n bwriadu mynd â'r llaeth 'na gyda ti?' holodd.

'Ydw,' atebais, gan gadw fy llais yn ysgafn. 'Roedden ni'n trafod maeth yn yr ysgol y dydd o'r blaen, a dwedodd yr athrawes fod y calsiwm mewn llaeth yn gwneud lles mawr i chi. Felly dwi'n bwriadu yfed rhagor ohono o hyn 'mlaen.'

'Da iawn – dwi'n falch o glywed dy fod yn dysgu rhywbeth defnyddiol. Cofia di, mae brocoli'n llawn o galsiwm hefyd.'

'Falle'n wir,' dywedais, 'ond dyw e ddim hanner mor flasus!'

Chwarddodd Mam, a llwyddais innau i ddianc gyda'r llaeth.

Llyncodd Alys ei brecwast mewn ychydig eiliadau, a sychu'i cheg â chefn ei llaw. 'Iym,' meddai. 'Ro'n i bron â starfo. Ond sut yn y byd dwi'n mynd i bara am weddill y dydd ar falau a bisgedi?'

Ochneidiais. Roedd bwydo Alys yn mynd i fod yn fwy o broblem nag o'n i wedi'i feddwl. Dwi wedi darllen llwythi o straeon am blant yn cuddio ci bach neu fochdew yn eu stafell wely, a sleifio briwsion a sgraps i'w bwydo nhw. Ond roedd cario bwyd i ferch un ar ddeg oed, oedd wastad bron â llwgu, yn fater cwbl wahanol. Ro'n i eisoes yn brin o syniadau, a doedd Alys byth yn mynd i fodloni ar sgraps.

Gwnes fy ngorau glas i swnio'n bositif. 'Paid â becso,' cysurais hi. 'Falle gallwn ni fynd mas am dro yn nes 'mlaen, a phrynu bwyd i ti.'

'O, felly?' meddai Alys yn llawn syndod. 'A sut y'n ni'n mynd i wneud hynny heb gael ein dal?'

'Gei di weld,' atebais yn ysgafn. 'Mae gen innau gynllun hefyd.'

Ro'n i'n dechrau delio'n well â'r stwff

cyfrinachol ’ma. Falle y dylwn i anghofio am fod yn filfeddyg, a bod yn dditectif yn lle hynny.

* * *

Treuliodd Alys a fi yr oriau nesaf yn fy stafell. Ro’n i wedi dweud wrth Mam ’mod i’n bwriadu sortio llwyth o bethau, a thacluso. Fe wnes i hyd yn oed dacluso’r silffoedd llyfrau, rhag ofn iddi ddod i mewn. Wedyn, eisteddon ni ar y llawr yn sgwrsio a chwerthin mor dawel ag y gallen ni, gan estyn bisged o’r storfa bob hyn a hyn.

Yna, tua hanner dydd, gwelais ddwrn y drws yn dechrau troi. Roedd Alys yn sefyll wrth y ffenest a doedd dim cyfle iddi guddio. Daliais fy anadl wrth i’r drws agor yn araf bach . . . a daeth Seren i mewn. Gwenodd yn llydan a dal ei breichiau allan. ‘Alyth,’ sibrydodd, wrth i Alys a minnau syllu ar ein gilydd mewn panig. Sut gallai un ferch fach tair oed ddifetha’n cynllun pwysig ni? Doedd e ddim yn deg!

Roedd yn rhaid i mi wneud rhywbeth. Caeais ddrws y stafell, gafael ym mraich Seren a’i thynnu tuag at y wardrob. ‘’Drycha, Seren – losin! Llwythi o dy hoff losin di!’ dywedais gan chwilio am y bag o falws melys ro’n i wedi’u cuddio yno ychydig ddyddiau'n ôl.

Roedd Seren mor gyffrous ynghylch y losin fel bod Alys wedi llwyddo i rolio allan o'r golwg o dan y gwely. Ar ôl stwffio llond ceg o'r losin, trodd Seren i chwilio am Alys. Agorodd ei cheg mewn syndod o weld ei bod wedi diflannu, a chwympodd dwy losinen o'i cheg.

'Alyth? Alyth wedi mynd?' holodd mewn penbleth.

Cyrcydais i lawr i'w lefel hi, fel ro'n i wedi gweld Mam yn ei wneud pan oedd ganddi rywbeth pwysig i'w ddweud.

'Seren – dyw Alys ddim yma. Dim Alys. Jest ti a fi, iawn?'

Ddywedodd hi 'run gair, dim ond derbyn losinen arall a mynd i chwilio am Mam. Caeais y drws a chwympo'n glatsh ar y gwely. Rholiodd Alys o'i chuddfan a gwenu arna i.

Amser cinio, fe ges i foment arall o banig pan ddywedodd Seren, yn glir ac yn gwbl annisgwyl, 'Alyth wedi mynd.'

'Oooo, mae hyd yn oed Seren yn colli Alys. On'd yw hynna'n ciwt? Do, bach, mae Alys wedi mynd. Ond fe fyddwn ni'n ei gweld hi eto cyn bo hir.'

Ro'n i *mor* falch taw dim ond tair oed yw

Seren, ac yn rhy ifanc o lawer i ddweud rhywbeth fel, 'Ond roedd hi yn stafell Megan bore 'ma!'

Wrth i mi glirio ar ôl cinio, cuddiais ychydig o fara ym mhoced fy hwdi. Doedd e ddim yn flasus iawn ar ei ben ei hun, rhaid cyfaddef, ond dyna'r gorau gallwn i ei wneud dan yr amgylchiadau. Fedrwn i ddim cario bowlen o gawl, neu blataid o basta, heb i rywun sylwi!

Fel ro'n i'n mynd o'r gegin, trodd Mam ataf a dweud, 'Mae gen i syniad. Pam na wna i adael Seren gyda Catrin lan y ffordd am gwpwl o oriau, a gallwn ninnau gael pnawn gyda'n gilydd, jest ni'n dwy? Falle gallen ni fynd i'r dre i gael paned o siocled poeth, ac yna mynd i chwilio am sgidiau ysgol newydd i ti. Beth wyt ti'n feddwl?'

Fel arfer, byddwn wrth fy modd. Ond fedrwn i ddim mynd i fwynhau fy hun yn y dre, a gadael Alys druan ar ei phen ei hun yn fy stafell. Roedd yn bryd gweithredu ar un o'r syniadau arbennig ro'n i wedi bod yn gweithio arnyn nhw ers sbel. Ychydig fisoedd yn ôl, ro'n i wedi ymuno â'r clwb tennis lleol, ac roedd Mam a Dad yn aml yn cwyno bod y cyfan yn wastraff arian gan mai anaml iawn ro'n i'n chwarae. Nid fy mai i oedd hynny. Roedd y merched eraill yr un oed â fi wedi bod yn cael gwersi preifat er pan oedden nhw tua chwe mis oed. Un tro, cyn i mi wybod yn well, roedd Mam wedi fy mherswadio i gymryd rhan mewn cystadleuaeth. 'Fe fydd e'n brofiad da i ti, Megan,' meddai gan wenu'n llydan.

Roedd hi'n iawn mewn un peth – *roedd* e'n brofiad. Y profiad gwaethaf, llawn cywilydd ac embaras, ges i erioed yn fy mywyd. Roedd fy ngwrthwynebydd, Cadi, wedi teithio'r holl ffordd o'r Wyddgrug yn unswydd ar gyfer y gêm. Daeth ei rhieni gyda hi i'w chefnogi. (Doedd fy rhieni i ddim wedi trafferthu teithio'r hanner milltir o'n tŷ ni i 'nghefnogi i. Llawn cystal, falle – doedd arna i ddim angen dau dyst arall i'r fath gywilydd.)

Roedd gan Cadi ddwy raced – yn union fel tasai hi'n mynd i chwarae yn Wimbledon. Gwisgai ffrog fer wen, trênyrs *designer* gwyn, drud, a band bach ciwt i ddal ei gwallt yn ôl. Ymhen sbel, pan sylweddolodd pa mor wael o'n i, dechreuodd ymddiheuro bob tro roedd hi'n gyrru'r bêl heibio fy nghlust. Dim ond dau bwynt sgoriais i drwy'r gêm gyfan, a hynny pan fethodd hi ddwywaith wrth syrfio, ar ddau achlysur. Y tro cyntaf y digwyddodd hyn, taflodd ei raced ar lawr yn ei thymer. Taswn i wedi gwneud y fath beth, byddai fy rhieni wedi fy llusgo oddi ar y cwrt a 'nghadw i yn y tŷ am chwe mis. Yr unig beth wnaeth mam Cadi oedd sibrwd wrthi, 'Nawr, cofia beth ddysgaist ti yn y dosbarthiadau rheoli tymer. Anadla'n ddwfn, a gad i'r tensiwn lifo i ffwrdd.' Y fath gywilydd!

Cefais fy nghynnwys yn y gystadleuaeth ar gyfer rhai oedd wedi colli am y tro cyntaf, ond gwnes esgus 'mod i'n teimlo'n sâl ac es adre'n syth. Daeth Mam a Dad ataf i'm llongyfarch.

'Wel, wyt ti'n bencampwr y teulu, 'te?' holodd Dad.

'Ddylwn i drefnu tocynnau ar gyfer Wimbledon eleni?' gofynnodd Mam.

Ysgydwais fy mhen, a dweud mor ddifater ag y gallwn, 'Wel, roedd hi'n gêm dda, ond y ferch arall enillodd reit ar y diwedd un.'

Dwi'n credu eu bod nhw'n sylweddoli 'mod i'n dweud celwydd – soniodd neb am y peth wedyn. Beth bynnag, ar ôl y profiad hwnnw, pwy allai fy meio am beidio â bod yn llawn brwdfrydedd ynghylch chwarae tennis?

Ond roedd Mam wrth ei bodd y pnawn hwnnw pan ddywedais wrthi, 'Diolch, Mam. Byddai'n grêt treulio amser gyda ti, ond ro'n i wedi addo mynd draw i'r clwb tennis am sbel. Mae rhai o'r merched eraill wedi dweud y byddan nhw yno.'

Teimlwn yn euog wrth weld pa mor hapus oedd Mam o glywed hynny. Gwenodd yn llydan a dweud, 'Gwych, Meg. Dwi mor falch dy fod yn dod 'mlaen gyda'r merched eraill yn dy ddosbarth. Hoffet ti i mi fynd â ti draw yn y car?'

'Na, dim diolch, Mam. Bydd cerdded yno'n fy helpu i gynhesu cyn y gêm.'

Rhedais i'm stafell wely i newid i dracsiwt a thrênyrs, ac i ddweud wrth Alys am gael ei hun yn barod. Ychydig funudau'n ddiweddarach, dringodd drwy'r ffenest a diflannu. Estynnais fy raced o'r cwpwrdd yn y cyntedd a gweiddi. 'Hwyl, Mam. Mynd nawr. Fydda i adre erbyn amser te.'

Daeth at y drws i ffarwelio â mi. 'Hwyl i ti, bach. Gobeithio gei di amser da.'

Yn ffodus, ro'n i wedi siarsio Alys i fynd allan drwy'r giât yng ngwaelod yr ardd. Sgipiais i lawr y ffordd, a chwrdd â hi ar ben y lôn fach gefn.

Ymestynnodd ei breichiau'n uchel i'r awyr. 'Mmm. Mae *mor* braf cael bod mas. Ro'n i'n dechrau teimlo fel carcharor. Wyt ti'n meddwl y galla i fenthyg raced yn y clwb tennis?'

‘Does gen i ddim bwriad tywyllu’r lle,’ chwarddais.

‘O? Pam felly?’ holodd Alys.

‘Mae ’na ormod o lawer o rai tebyg i Mirain Mai yno!’ dywedais.

‘I ble, ’te?’

‘I’r dre,’ atebais.

‘Syniad gwych!’ meddai Alys.

Ro’n i’n falch ei bod wedi ymateb fel yna. Mor falch nes i mi bron anghofio faint o drwbwl fyddwn i ynddo petai Mam yn darganfod ’mod i yn y dre heb ganiatâd. Roedd hi wastad yn dweud bod y dre’n llawn o ‘bobl anffodus’. Ac eto, roedd sleifio o gwmpas gydag Alys yn ddigon difrifol. Taswn i’n cael fy nal byddwn mewn trwbwl MAWR ta beth – felly man a man i mi gael hwyl a mwynhau fy hun yn y fargen.

Rhedodd y ddwy ohonom i lawr y stryd a llwyddo i ddal y bws. Teimlwn fel oedolyn wrth brynu dau docyn, ac eistedd wrth ochr Alys ar ein taith fer i’r dre.

Pennod 13

Gawson ni bnawn grêt. Rhywsut, mae popeth yn fwy o hwyl pan wyt ti'n gwybod dy fod yn torri pob un o reolau dy rieni (heb sôn am yr holl reolau dy'n nhw ddim hyd yn oed wedi meddwl amdanyn nhw eto).

Y flaenoriaeth oedd prynu byrgyr a sglodion i Alys. Do'n i ddim yn llwglyd, wrth gwrs, gan 'mod i newydd gael cinio, ond roedd Alys yn ymddwyn fel petai hi heb weld bwyd ers dyddiau. Stwffiodd lond ei cheg, a thrio siarad drwy bentwr o sglodion.

'Mmmmm! Mae hwn *mor* flasus! Ro'n i bron wedi anghofio sut roedd bwyd fel hyn yn blasu!'

'Wel, gwna'n fawr ohono fe,' chwarddais. 'Dwn i ddim pryd lwyddwn ni i wneud hyn eto.'

Prynais ddiod o Coke i mi fy hun – llond y cwpan mwyaf anferth welsoch chi erioed. (Doedd Mam a Dad byth yn gadael i mi gael Coke, felly roedd yn arbennig o flasus.)

Ar ôl i'r ddwy ohonon ni orffen, aethom allan i'r stryd. 'Beth am fynd i'r archfarchnad?' awgrymais. 'Gallen ni brynu bwyd i ti ei fwyta'n nes 'mlaen.' (Teimlwn yn euog o wybod ein bod ni'n cael pastai'r bugail i swper, a fyddai dim modd i mi gario peth i Alys.)

Yn yr archfarchnad, buon ni'n chwilio am y bwydydd parod. Do'n i erioed wedi bod yn y rhan honno o'r siop o'r blaen. Mae gan Mam obsesiwn am fwydydd cyflawn iach, ffrwythau a llysiau ffres, a stwff organig. Iddi hi, mae bwydo plant â'r rwtsh yma'n gyfystyr â'u cam-drin. Gafaelais mewn potyn o nŵdls parod, a dynwared llais Mam gan ddweud, 'Ych a fi! 'Drycha ar hwn! Mae'n llawn o e-gynhwysion a saim a chemegion. Sut gallen nhw ei alw'n fwyd? Mae'n debycach i arbrawf gwyddonol na bwyd. Mae'r peth yn warthus!'

Cymerodd Alys y potyn o'm llaw a'i ysgwyd. Dechreuodd hithau ddynwared llais Mam. (A hynny mor llwyddiannus nes gwneud i mi deimlo'n euog.) 'O diar, dwi'n credu ei fod e wedi marw. A beth am y potyn 'ma? Faint o amser gymerith hwn i bydru, tybed?'

Gwgais. 'Tua'r un faint o amser ag y bydd fy rhieni'n gymryd i faddau i mi, os clywan nhw 'mod i yn y dre pnawn 'ma.'

Ceisiodd Alys fy nghysuro. 'Paid â phoeni, Meg, ddôn nhw byth i wybod. A beth bynnag, ry'n ni wedi trafod hyn yn barod. Pan ddaw fy rhieni i o hyd i mi ddydd Gwener, bydda i'n cymryd y bai i gyd. Fe ddweda i wrthyn nhw mai fy syniad i oedd y cyfan.'

'Do, dwi'n gwybod dy fod wedi dweud hynny, ond dyw e ddim yn deg.'

'Wrth gwrs ei fod e'n deg,' meddai Alys yn gadarn. 'Fi, nid ti, sy'n blentyn i deulu sy wedi chwalu. Bydd raid iddyn nhw ystyried pam dwi wedi gwneud y fath beth. Dyna'r effaith mae trawma'n ei gael ar blentyn, yntê?'

Dewison ni chwe photyn gwahanol flasau o'r nŵdls y gallen ni eu twymo wrth dywallt dŵr berwedig arnyn nhw. Ceisiais beidio â meddwl sut ro'n i'n mynd i lwyddo i gario'r dŵr o'r gegin i'm stafell wely.

Penderfynon ni gerdded ar hyd prif stryd Aber o un pen i'r llall, gan fynd lan un ochr ac i lawr yr ochr arall. Ym mhob siop oedd yn gwerthu farnais ewinedd, fe beintion ni ddau ewin bob un. Cymerodd oesoedd – a sawl siop – i ni wneud y cyfan. Cawsom ein hel allan o dair siop gan y staff diogelwch, oedd yn amlwg yn meddwl ein bod ni ymhlith y 'bobl anffodus' oedd yn achosi helynt yn y dre.

Wrth gwrs, ro'n i'n sylweddoli nad oedd dim o'i le mewn trio gwahanol liwiau o farnais ewinedd, ond heb Alys fyddwn i byth wedi mentro. Dyna'r peth gorau am Alys. Pan o'n i gyda hi, ro'n i'n berson gwell. Yn ddewrach. Yn fwy doniol. Ac yn hapusach. Roedd bywyd gymaint mwy o hwyl pan oedd hi o gwmpas.

Buon ni'n edrych ar gylchgronau mewn cwpwl o siopau, yna gemwaith a dillad. Aeth yr amser yn rhy gyflym o lawer. Dalion ni'r bws adre am hanner awr wedi pedwar, mewn da bryd cyn iddi dywyllu. Gwyddwn hefyd, taswn i heb gyrraedd adre erbyn iddi dywyllu, y byddai Mam yn anelu'n syth i'r clwb tennis i chwilio amdana i. Ac os na allai ddod o hyd i mi yno, byddai'n mynd yn hollol honco bost. Fyddai hi byth yn meddwl am reswm call pam nad o'n i yno, jest yn cymryd yn ganiataol 'mod i wedi cael fy herwgipio, neu fy lladd, neu rywbeth.

Un tro, mewn siop fawr, diflannodd Seren am gwpwl o eiliadau, a bu bron i Mam golli'i phwyll. Sgrechiodd ar dop ei llais, 'Seren! Seren! Lle rwyt ti? O, 'mabi annwyl i, beth sy wedi digwydd i ti?' Rhedodd dwy o ferched y siop ati, yn meddwl bod rhywun wedi cael ei ladd. Yna ymddangosodd Seren o'r tu ôl i reilen o ddillad, yn wên o glust i glust. Cododd Mam hi yn ei breichiau a bron â'i boddi, druan, mewn swsys gwlyb. O, y fath embaras! Roedd hyd yn oed Seren – oedd yn rhy ifanc i sylwi ar bethau fel'na – yn edrych yn annifyr.

Ac yna, digwyddodd y peth gwaethaf o'r cwbl. Ymddangosodd Mirain Mai o rywle – mae ganddi ddawn o fod o gwmpas pan mae'r pethau diflas 'ma'n digwydd i mi – yng nghwmni un o'i ffrindiau. Chwarddodd y ddwy'n uchel, a sibrydodd Mirain Mai rywbeth wrth ei ffrind. Yr unig eiriau glywais i oedd '. . . mam wallgo . . .' Roedd gen i awydd gweiddi arni, *'Dwi'n gwybod ei bod hi'n wallgo. Ond does dim bai arna i. Pam fy meio i? Wyt ti'n meddwl 'mod i wedi'i dewis hi o gatalog neu rywbeth?'* Ond wnes i ddim, wrth gwrs, dim ond cerdded i ffwrdd a 'mhen yn uchel gan esgus 'mod i'n becso dim. (Er 'mod i, wrth gwrs, yn becso'n ofnadwy.)

* * *

Pan gyrhaeddon ni adre, cymerodd Alys y bag oedd yn dal y stwff roedden ni wedi'i brynu, a sleifio rownd cefn y tŷ i aros i mi agor ffenest fy stafell wely. Es innau i mewn drwy'r drws cefn, gan ysgwyd tipyn ar fy ngwallt i wneud iddo edrych fel taswn i newydd fod yn rhedeg o gwmpas y cwrt tennis. Roedd Mam yn y gegin, fel arfer. Mae fel petai hi'n garcharor yno, fel rhyw dywysoges yn ei chastell, yn gweithio o fore gwyn tan nos. Roedd hi ar fin stwnshio tatws.

'O, diolch byth dy fod ti adre! Mae'n dechrau tywyllu, ac ro'n i'n becso amdanat ti. Gest ti amser da?'

'Do, diolch, grêt. Falle a i yno eto fory.'

'Wel, mae hynna *yn* newyddion da,' meddai Mam gan wenu. 'Reit, wnei di orffen stwnshio'r tatws 'ma, plis?'

Meddyliais am Alys druan yn sefyll yn yr ardd, yn aros i mi ei gadael i mewn drwy ffenest fy stafell wely. 'Iawn, ond gad i mi gadw'r raced 'ma gyntaf.'

Cymerodd Mam y raced o'm llaw cyn i mi sylweddoli. 'Fe wna i hynny,' meddai. 'Rhaid i mi fynd i wneud yn siŵr bod Seren yn iawn ta beth. Pan fyddi di wedi gorffen gyda'r tatws, wnei di wagio'r peiriant golchi llestri a gosod y bwrdd? Bydd Dad adre yn y man.'

Do'n i ddim am wneud i Mam fy amau i, felly wnes i ddim dadlau. Rhaid bod ugain munud wedi mynd heibio cyn i mi allu mynd i'm stafell. Agorais y ffenest a chwibanu'n isel. Dim ateb. Yna sibrydais mor uchel ag y gallwn heb dynnu sylw, 'Al, Al. Ble wyt ti?' Dim. Roedd hyn yn ofnadwy! Ble yn y byd oedd hi?

Neidiais drwy'r ffenest a rhedeg at y llwyni lle roedd Alys i fod i aros am yr arwydd. Doedd hi ddim yno. Dechreuodd y panig godi yn fy ngwddw. Dechreuais redeg o gwmpas yr ardd, gan sibrwd ei henw. O'r diwedd, dois o hyd iddi'n eistedd yn yr hen dŷ bach twt ym mhen pella'r ardd. Diolch byth! Roedd golwg bwdlyd arni.

'Lle gebyst wyt ti wedi bod?' gofynnodd yn bigog. 'Dwi bron â rhewi.'

'Mae'n flin 'da fi,' atebais, 'ond rhoddodd

Mam lwyth o bethau i mi eu gwneud. Fedrwn i ddim dianc o'r gegin.'

'Allet ti ddim dweud bod raid i ti fynd i'r tŷ bach?' holodd.

Teimlwn yn real ffŵl. Pam nad o'n i wedi meddwl am hynna? Doedd gen i ddim dychymyg o gwbl, mae'n rhaid. 'Sorri, Al. Gofia i hynna y tro nesa.'

'Paid â phoeni,' meddai Alys yn glên. 'Nawr, gawn ni fynd i mewn plis, tra 'mod i'n dal i allu teimlo fy nwylo a 'nhraed?'

Diolch byth, fi oedd y gyntaf i ddringo drwy'r ffenest. Ro'n i'n eistedd ar y sil yn barod i neidio i lawr, pan sylweddolais fod Mam ar ei gliniau yn edrych o dan fy ngwely. Ro'n i *mor* falch ein bod wedi stwffio sach gysgu a dillad Alys i gefn y wardrob, o'r golwg.

Roedd Mam wedi cael braw. 'Megan!' llefodd. 'Beth wyt ti'n ei wneud yn fanna? Wyt ti wedi bod yn yr ardd?'

'Ym, do . . .' atebais yn ansicr.

'Ond mae hi wedi tywyllu! Pam est ti mas yr adeg hyn o'r dydd? A pham yn y byd wyt ti'n dringo i mewn drwy'r ffenest?'

Do'n i ddim hanner cystal ag Alys am feddwl yn gyflym, ond ro'n i mewn twll. Doedd Alys ond rhyw fetr oddi wrtha i, ond fedrwn i ddim gofyn iddi am help, yn na fedrwn?

'Ymmm . . . ro'n i . . . chi'n gweld . . . wel . . . beth ddigwyddodd oedd . . .' Ro'n i'n baglu dros fy ngeiriau, ac yn hollol bathetig.

Am unwaith yn ei bywyd, doedd gan Mam ddim awydd cael trafodaeth hir. Cododd ar ei thraed. 'Wel, 'sdim gwahaniaeth nawr. Rhaid i mi fynd i orffen y swper cyn i Dad gyrraedd. Dere lawr a chau'r ffenest – a phaid â gwneud peth mor ddwl eto.'

Neidiais i lawr a chau'r ffenest, gan wenu i'r tywyllwch rhag ofn bod Alys yn gwylio. Ro'n i'n becso braidd. Pam bod Mam yn chwilio o dan y gwely? Oedd hi'n amau bod rhywbeth rhyfedd yn digwydd? Doedd hi byth fel arfer yn edrych o dan fy ngwely. Doedd gen i ddim dewis – rhaid i mi ofyn iddi.

'Mam,' dywedais, 'pam oeddet ti'n chwilio o dan fy ngwely i gynnau?'

'Dwi'n credu bod Seren wedi cuddio'r teclyn rheoli'r teledu eto,' meddai. 'Bob tro dwi'n gofyn amdano, mae hi'n chwerthin. Mae hi mor ddireidus. Ac fe fydd Dad yn colli'i limpin os na fydd e'n gallu dod o hyd iddo i wylio'r teledu heno.'

‘O, dyna’r cwbwl?’ dywedais, gan ochneidio’n dawel mewn rhyddhad. ‘Fe wna i dy helpu di i chwilio amdano’n nes ’mlaen.’

‘Diolch, bach,’ atebodd gan fynd allan o’r stafell a chau’r drws ar ei hôl.

Pan o’n i’n siŵr na fyddai’n dod ’nôl, es i agor y ffenest eto a gadael Alys i mewn. Eisteddodd yn glewt ar fy ngwely – a doedd hi ddim yn edrych yn hapus.

Roedd heddiw wedi bod yn ddiwrnod hir ac anodd.

Pennod 14

Roedd amser swper y noson honno'n ddiddiwedd. Aeth Mam 'mlaen a 'mlaen pa mor falch oedd hi 'mod i wedi treulio'r pnawn yn y clwb tennis. Byddai rhywun yn meddwl 'mod i wedi ennill rhyw bencampwriaeth yn erbyn chwaraewyr gorau'r byd!

Bob hyn a hyn, roedd naill ai Mam neu Dad yn dweud rhyw bethau twp, fel:

'On'd yw hi'n wych bod Megan yn dod yn fwy annibynnol?' A:

'Mae cadw'n heini mor bwysig – a beth well na chwarae tennis?' A:

'Mae tennis yn gêm gymdeithasol iawn. Os wyt ti'n chwarae tennis, fyddi di byth heb ffrindiau.'

Ro'n i'n sicr na fyddai gen i ffrind o gwbl os na lwyddwn i fynd 'nôl i'm stafell yn eitha sydyn.

Yn y diwedd, achubodd Seren fi drwy chwydu dros y bwrdd i gyd. Ych a fi! Ond o leia anghofiodd Mam a Dad yn llwyr amdana i, a ches innau gyfle i feddwl sut yn y byd y gallwn gario dŵr berwedig i'm stafell ar gyfer nŵdls Alys.

Ymhen hir a hwyr, pan gyrhaeddais fy stafell, do'n i'n dal heb ddatrys y broblem.

'Nid arna i mae'r bai, Al!' protestiais. 'Mae Mam wastad yn dweud ei bod wedi'i chadwyno i sinc y gegin, a dwi'n dechrau credu ei bod yn iawn. Dyw hi byth bron yn dod mas o'r lle.'

Doedd Alys ddim yn cydymdeimlo â fi o gwbl. 'Wel, mae'n hen bryd i ti feddwl am rywbeth. Dwi bron â starfo.' Cododd botyn o'r nŵdls yn ei llaw, a'i ysgwyd i dynnu fy sylw. 'Gallwn yn hawdd farw o newyn, yma yn y stafell hon,' ychwanegodd yn ddramatig.

Ro'n i bron â chyrraedd pen fy nhennyn. Roedd Alys yn ffrind gorau i mi ers bron i wyth mlynedd, ac ro'n i'n ei nabod yn well na neb. Un peth ro'n i'n ei wybod amdani oedd hyn: pan oedd Alys yn flinedig neu bron â llwgu, doedd hi ddim yn berson hawdd i fod gyda hi.

'Wn i,' dywedais yn ysgafn. 'Mae Mam yn rhedeg bath ar gyfer Seren. Falle, os llenwa i'r potyn â dŵr twym o'r tap, y gwnaiff hynny'r tro.'

'Falle . . .' meddai Alys yn ansicr. 'Ond gwna rywbeth yn glou, da ti, neu fe fydd yn rhy hwyr.' Ar hynny, sugnodd ei bochau i mewn ac esgus llewygu ar y gwely.

'Ha ha, doniol iawn. Dwyt ti'n gwneud dim ond ymddwyn yn ddramatig, a gadael y gwaith caled i gyd i mi,' dywedais yn bigog gan stwffio potyn o nŵdls i boced fy hwdi a mynd i'r stafell molchi.

Er i mi redeg y tap am oesoedd, doedd y dŵr ddim yn ddigon twym – roedd angen dŵr berwedig mewn gwirionedd. Yn y diwedd, doedd gen i ddim dewis ond rhwygo'r ffoil i ffwrdd ac edrych ar gynnwys y potyn. Doedd dim modd dweud beth oedd ynddo. Falle fod Mam yn iawn – doedd e ddim yn debygol o wneud lles i neb. Doedd e ddim chwaith yn edrych fel bwyd go iawn, gyda'i liw oren annaturiol a'i haen o stwff brown ar yr wyneb. Ond llenwais y potyn hyd at y llinell, a'i droi gyda handlen fy mrwsh dannedd. Ar ôl gwneud yn siŵr nad oedd neb o gwmpas, rhedais i'm stafell lle roedd Alys yn gorwedd ar y gwely, yn ceisio edrych yn wan.

'O'r diwedd!' ebychodd. 'Falle bydd raid i ti fy mwydo i – does gen i ddim nerth ar ôl.'

'Dim gobaith,' dywedais gan roi'r potyn iddi. 'Dwi wedi gweithio'n galed i gael hwn i ti.'

Estynnodd Alys y llwy roedden ni wedi'i chuddio ers amser brecwast, a throi'r gymysgedd. 'Mmmm,' meddai gan sniffian, 'mae'n arogli'n debyg i bizza.'

'Blasa fe, 'te,' dywedais, 'cyn iddo oeri.' Ro'n i'n sylweddoli, wrth gwrs, ei fod bron yn oer o'r dechrau.

Cododd Alys lwyaid o'r stwff orenfrown hyll, a'i roi yn ei cheg. Gwenais innau i'w chefnogi – er, y tu ôl i 'nghefn, roedd pob bys wedi'i groesi.

'IIIYYYCH!' lefodd Alys gan boeri'r stwff o'i cheg yn ôl i mewn i'r potyn. 'Mae'r nŵdls yn galed fel haearn. Alla i ddim bwyta hwn – mae e fel bwyta graean!'

Ro'n i wedi ypsetio'n lân. 'Dere, Alys fach, tria fwyta beth ohono fe. Dyw e ddim cyn waethed â hynny, dwi'n siŵr.'

Gwthiodd y potyn tuag ataf. 'Iawn, blasa di fe 'te.'

'Alla i ddim, sorri – dwi'n dal yn llawn ar ôl swper.'

'Wyt, dwi'n siŵr. Blasus, oedd e? Gest ti ail blataid?'

Ac yn sydyn, dechreuodd Alys lefain.

Rhoddodd ei phen yn ei dwylo, ond gallwn weld y dagrau'n diferu rhwng ei bysedd.

Gafaelais yn y potyn a'i roi ar y bwrdd gwisgo. Fyddai fiw i mi golli peth o'r cynnwys ar y dwfe. Edrychai fel y math o beth fyddai'n gadael staen – hyd yn oed gyda'r powdr golchi biolegol roedd Mam mor gyndyn o'i ddefnyddio.

'Mae'n wir flin gen i, Al,' dywedais. 'Paid â becso. Fe ga i rywbeth i ti, dwi'n addo. Wnei di ddim llwgu.'

Sychodd ei dagrau ac edrych yn gas arna i. 'Dwi'n gwybod na fydda i'n llwgu, ond nid y bwyd yw'r unig beth sy'n fy mecso i. Dwi ddim yn credu bod y cynllun yma'n mynd i weithio. Ry'n ni'n mynd i fod mewn helynt ofnadwy, a bydd raid i mi fynd 'nôl i Gaerdydd. Bydd bywyd yn waeth nag erioed wedyn – wnaiff Mam ddim hyd yn oed adael i mi ddod i Aber i weld Dad. O, Meg, camgymeriad mawr oedd y cyfan!' A dechreuodd feichio crio.

Ond do'n i ddim yn bwriadu rhoi lan, nag'on wir. Roedd gormod yn y fantol. Gafaelais yn ysgwyddau Alys. 'Dere nawr, paid â siarad fel'na. Arhoswn ni nes bod Mam yn mynd â Seren i'w gwely, ac fe af i nôl dŵr berwedig bryd hynny. Fyddi di ddim yr un un ar ôl cael dau neu dri photyn o nŵdls, gei di weld. Wedyn gawn ni feddwl am fory. Ry'n ni'n mynd i wneud i hyn weithio, dwi'n addo.'

Edrychodd arnaf drwy ei dagrau. 'Ti'n siŵr?' meddai.

Nodiais innau fy mhen, gan deimlo braidd yn euog. Mewn gwirionedd, do'n i ddim yn siŵr o unrhyw beth.

* * *

Yn nes ymlaen, pan aeth Mam â Seren i gael bath, llwyddais i berswadio Dad i fynd i'r garej i chwilio am beli tennis i mi. Tra oedd e yno, cariais lond jwg fawr o ddŵr berwedig i'm stafell. Ar ôl i Alys gladdu tri photyn o'r nŵdls, roedd hi mewn llawer gwell hwyliau.

Tua wyth o'r gloch, roedd yn amser iddi ffonio'i mam. Atebodd hithau ar unwaith.

'Ti sy 'na, Alys? Ble rwyt ti? Dwi wedi bod yn trio ffonio'r tŷ ers hydoedd.'

Whiw, meddyliais, *diolch byth fod tad Alys wedi mynd mas.*

'Dwi adre nawr,' meddai Alys. 'Roedd Dad wedi mynd â fi i'r feddygfa.'

'Y feddygfa? Pam? Wyt ti'n waeth?'

'Na, Mam, mae popeth yn iawn. Bỳg stumog yw e – dim rheswm i fecso. Ond roedd y meddyg yn dweud na ddylwn i deithio am ychydig ddyddiau eto.' Oedodd am eiliad. 'Falle dylwn i aros tan ddydd Gwener, a theithio'n ôl gyda Dad?'

Doedd gan Alys ddim bwriad gwneud hynny, wrth gwrs. Holl bwynt y cynllun oedd y byddai ei thad yn cyrraedd Caerdydd hebddi hi, wedyn byddai panic mawr a'i mam yn cael digon o fraw i'w pherswadio i symud 'nôl i Aberystwyth.

'Hmmm,' meddai ei mam yn ansicr. 'Dwn i ddim. Dydd Mawrth yw hi heddiw, yntê? Ga i weld. Rhaid i mi gael gair gyda dy dad – rho fe ar y ffôn, plis.'

'Wel, a dweud y gwir, mae e wedi gorfod mynd 'nôl i'r gwaith. Am ei fod e wedi cymryd amser bant i fynd â fi i'r feddygfa, roedd yn rhaid iddo weithio'n hwyr.'

'Cwbl nodweddiadol o dy dad. A fydd switsfwrdd y swyddfa ddim yn gweithio chwaith yr adeg yma o'r nos.'

'Na fydd, Mam, yn anffodus,' dywedodd Alys gan wenu arna i.

'Ac mae'n ormod i ddisgwyl, debyg, bod dy dad wedi cyrraedd yr unfed ganrif ar hunain, ac wedi prynu ffôn symudol iddo fe'i hun?' gofynnodd ei mam yn bigog.

'Dim gobaith, Mam, sorri,' atebodd Alys.

'Hy! Synnwn i ddim ei fod e'n fwriadol yn osgoi cysylltu.'

Dwi'n credu ei bod hi'n iawn. Taswn i'n briod â menyw mor bigog â hi, baswn innau'n osgoi cysylltu hefyd!

Siaradodd Alys mewn llais tawel, rhesymol. 'Paid â phoeni, Mam. Mae popeth yn iawn. Pam na wna i jest ddweud wrth Dad y bydda i'n aros yma tan ddydd Gwener? Yna gall e fy ngyrru i Gaerdydd ar ôl gwaith. Dyna'r peth gorau, wyt ti'n cytuno?'

Ochneidiodd ei mam yn uchel. 'O wel, gawn ni weld. Paid â bwyta unrhyw beth nes dy fod ti'n teimlo'n well, ond cofia yfed digon o ddŵr. Fe wna i dy ffonio di eto fory.'

'Iawn, Mam, ond man a man i mi dy ffonio di. Mae gen i lot o arian ar ôl yn fy ffôn, a rhaid i mi ei ddefnyddio cyn diwedd y mis.'

'Iawn, bach. Hwyl i ti nawr.'

'Hwyl, Mam. Caru ti.'

Diffoddodd Alys y ffôn a gwenu'n llydan arna i. Teimlwn yn well o lawer. Gyda phob dydd oedd yn mynd heibio, roedden ni'n nes at wireddu'r cynllun. Petai popeth yn mynd 'mlaen fel hyn, byddai'r cyfan yn troi allan yn iawn yn y diwedd. Yn fuan, byddai Alys yn ôl yn byw yn Aber, lle roedd hi'n perthyn, a fyddai'r nŵdls sych a'r dringo drwy ffenestri'n ddim ond atgof pell.

Pennod 15

Yn hwyrach y noson honno, pan o'n i'n esgus swatio yn fy ngwely, daeth Mam i mewn i ddweud nos da. Roedd hi'n dal i wisgo'i ffedog, oedd yn golygu ei bod yn brysur, felly teimlwn yn hyderus na fyddai hi'n aros yn hir.

Fel arfer, ro'n i'n anghywir.

Eisteddodd ar y gwely a sniffian yn galed. 'Beth yw'r arogl 'na?' holodd.

Gwnes fy ngorau i edrych yn ddiniwed – golwg ro'n i'n dechrau ei pherffeithio.

'Pa arogl? Alla i ddim arogli unrhyw beth.'

Tybed ai traed Alys sy'n drewi? meddyliais. *Dyw hi ddim wedi cael cawod ers iddi ddod i'n tŷ ni. Ac mae ei thraed yn tueddu i ddrewi, yn enwedig wrth wisgo trênyrs.*

Edrychai Mam yn eitha dryslyd. 'Mae 'na ryw arogl anghyffredin yma,' meddai. 'Mae'n f'atgoffa i o . . .'

'Falle taw'r persawr neis 'na ges i ar fy mhen blwydd yw e,' awgrymais. 'Fe ddefnyddiais i beth yn gynharach.' Doedd hyn ddim yn gelwydd. Estynnais fy ngarddwn at drwyn Mam iddi gael ei arogli.

'Na, nid hynna yw e. Mae'n . . .'

'Neu falle mai stwff tynnu farnais ewinedd, neu ddiaroglydd yw e,' cynigiais.

Ysgydwodd Mam ei phen a chrychu'i thrwyn. 'Na, dim byd fel'na. Arogl bwyd yw e – winwns neu domatos neu rywbeth tebyg. Arogl artiffisial – fel cawl parod mewn paced.'

Wrth gwrs! Nid traed Alys oedd y broblem, ond y potiau nŵdls! Doedd Mam ddim yn bell o'i lle wrth ddyfalu.

Fedrwn i ddim meddwl am ragor i'w ddweud. Yr unig beth oedd ar fy meddwl oedd y potiau nŵdls gwag mewn bag plastig yn y drôr o dan fy ngwely.

Ysgydwodd Mam ei phen. 'Beth bynnag yw'r arogl, dyw e ddim yn neis iawn. Gad i mi agor y ffenest i ti gael tipyn o awyr iach yn dy stafell.'

I wneud hynny, byddai raid iddi fynd i ochr arall y gwely – ac er bod Alys wedi rholio odano, do'n i ddim am fentro.

'Na, Mam, mae'n iawn, diolch. Dyw e'n becso dim arna i.'

Eisteddodd ar y gwely a theimlo fy nhalcen. 'Wyt ti'n teimlo'n iawn? Rwyt ti braidd yn welw.'

Ceisiais edrych yn ddewr. 'Dwi'n iawn, dim ond wedi blino tipyn.'

Am unwaith, do'n i ddim yn dweud celwydd. Roedd yr holl waith o edrych ar ôl Alys, a ffysian drosti, a'r dringo i mewn ac allan o'r ffenestri, wedi gadael eu hôl arna i. Do'n i ddim wedi arfer byw bywyd mor gyffrous!

Doedd Mam ddim yn gwybod am yr holl bethau hyn, wrth gwrs. Gwenodd a dweud, 'Yr holl chwarae tennis sy'n dy wneud di'n flinedig. Dwyt ti ddim wedi arfer, dyna i gyd. Wrth ymarfer yn gyson, fyddi di ddim mor flinedig.'

'Mmmm. Ie, falle. Fe ro i gynnig arall arni fory, a gweld sut mae pethau'n mynd.'

Trois drosodd yn y gwely, a swatio o dan y dwfe gan obeithio y byddai Mam yn deall 'mod i'n barod iddi fynd. Yn anffodus, dyw Mam ddim yn sylwgar iawn.

Trodd ataf eto a dweud, 'Gobeithio dy fod ti'n dechrau arfer gyda'r ffaith bod Alys wedi mynd.'

Wyddwn i ddim beth i'w ddweud. Doedd hon ddim yn sgwrs y byddwn am ei chael ar unrhyw adeg, ac yn sicr nid pan oedd Alys yn gorwedd o dan fy ngwely yn gwrando ar bob gair.

'Gei di weld,' meddai Mam mewn llais tyner. 'Y flwyddyn nesaf fe fyddi di yn yr ysgol uwchradd, a byddi di'n gwneud llwythi o ffrindiau newydd. Yn fuan iawn, byddi wedi anghofio'n llwyr am Alys. Pan fyddi di wedi tyfu lan, fydd Alys yn ddim ond atgof hapus o'th blentyndod.'

Gallwn deimlo'r fatres yn symud rhyw fymryn o dan fy nghoesau. Rhaid bod Alys yn gwthio'i thraed yn ei herbyn, fel ffordd o'm hatgoffa ei bod hi yno. Cwbl nodweddiadol o Alys – di-hid ond doniol.

Fedrwn i ddim rhwystro fy hun. Chwarddais yn sydyn, dros bob man. Roedd golwg syn ar wyneb Mam. Rhoddais fy mhen yn fy nwylo ac esgus 'mod i'n torri 'nghalon.

Gafaelodd Mam amdanaf, a'm siglo fel

plentyn bach. Byddai'n deimlad braf petawn i wir yn llefain, ond doedd e ddim yn hawdd i foddi'r chwerthin oedd yn codi tu mewn i mi. Gwnes pob math o synau torcalonnus wrth i Mam ddweud 'O, 'ngHariad bach i' i rythm traed Alys yn taro gwaelod y fatres.

O'r diwedd, dois ataf fy hun. Codais ar fy eistedd, sychu fy llygaid, a gwenu'n ddewr. 'Sorri, Mam,' sibrydais. 'Ges i bwl sydyn wrth feddwl beth fyddwn i'n ei ddweud wrth Alys taswn i'n ei gweld hi y funud hon.'

Wrth ddweud hyn, gwthiais fy llaw o dan y gwely gan ffurfio dwrn fel rhybudd i Alys fihafio. Yn ffodus, cymerodd Alys sylw a stopiodd y symudiad o dan fy nghoesau. Dechreuais ymlacio tipyn.

Cododd Mam i fynd. 'Iawn nawr? Galwa fi os oes angen. A chofia hyn, Megan – bydd Dad a fi'n dy garu di beth bynnag ddigwyddith.'

Grêt, meddyliais. *Fe gofia i'r geiriau yna pan fyddwch yn ffeidio mas sut yn union dwi wedi treulio'r wythnos hon.*

Rhoddodd Mam sws ar fy nhalcen a mynd allan o'r stafell. Ar ôl ychydig funudau, ymddangosodd Alys o'i chuddfan.

Ro'n i'n grac wrthi am sbel, ond pharodd

hynny ddim yn hir. Yn fuan iawn roedden ni'n chwerthin yn dawel, cyn gorwedd yn y tywyllwch heb ddweud gair. Roedd yn deimlad braf, gwybod ei bod hi yno.

Wrth i mi gau fy llygaid a chwympo i gysgu, gwnes addewid i mi fy hun na fyddai Alys byth bythoedd yn ddim byd ond atgof hapus o 'mhlentyndod.

Pennod 16

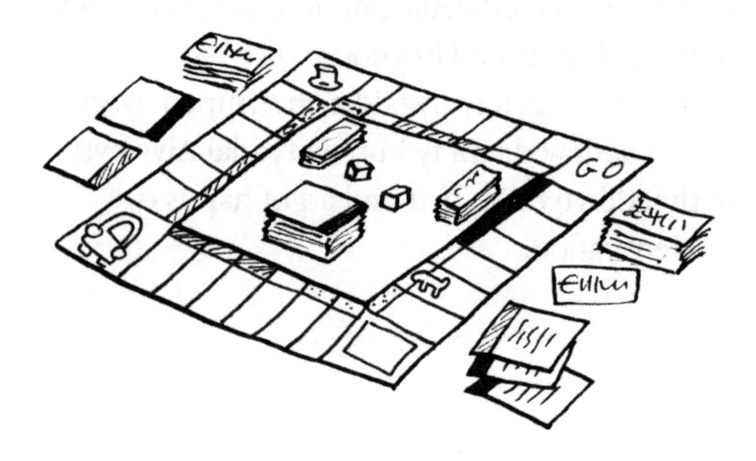

Y bore wedyn, deffrais i gyfeiliant dau sŵn cwbl wahanol. Y cyntaf oedd sŵn y glaw yn curo ar do fflat fy stafell wely. Yr ail oedd sŵn Alys yn chwyrnu. Wir i chi, swniai fel mochyn neu rinoseros neu rywbeth tebyg. Ar ôl gwrando arni am sbel, penderfynais ei deffro rhag ofn i Mam ei chlywed a dod i mewn i weld beth oedd achos y sŵn rhyfedd.

Er i mi ei hysgwyd yn galed, cefais drafferth i'w deffro.

'Megan?' meddai'n gysglyd o'r diwedd.

'Ie, fi sy 'ma.'

'Sorri, ro'n i'n cael breuddwyd,' meddai'n

dawel. 'Ro'n i'n meddwl 'mod i gartre eto, gyda Mam a Dad a Jac. Er bod Jac yn gwneud rhywbeth twp, ro'n i'n teimlo'n hapus.' Cododd ar ei heistedd ac ymestyn ei breichiau i'r awyr. 'Ond 'na ddigon o hynna. Rhaid i ni fod yn bositif. Hwn yw diwrnod cyntaf gweddill fy mywyd!'

'Ie,' chwarddais. 'Diwrnod cyntaf gweddill dy fywyd yn Aberystwyth. Ond, yn anffodus, dyw pethe ddim mor hawdd â hynny. Gwranda . . .'

'Yr unig beth glywa i yw Seren yn llefain,' meddai.

Do'n i ddim wedi sylwi ar hynny – oherwydd 'mod i mor gyfarwydd ag e, mae'n debyg.

'Na, nid Seren. Dwyt ti ddim yn clywed y glaw ar y to?'

'Dyw hynny'n ddim byd newydd,' atebodd. 'Wedi'r cwbl, ry'n ni yng Nghymru – gwlad sy'n cael lot o law. Beth bynnag, dyw hi ddim yn bwrw fan hyn, nag yw?'

'Wrth gwrs nag yw hi,' atebais yn bigog. 'Ond sut galla i esgus 'mod i'n mynd i chwarae tennis drwy'r pnawn os yw hi'n dal i fwrw glaw? Mae Mam yn gwybod yn iawn na fyddwn i'n gwneud y fath beth – sut felly dwi'n mynd i ddianc o'r tŷ?'

‘O, na!’ llefodd Alys yn ddramatig gan roi ei llaw dros ei cheg. Oedd hi o ddifri, neu dim ond yn esgus? Weithiau roedd yn anodd dweud y gwahaniaeth. ‘Ti’n iawn,’ ychwanegodd. ‘Ry’n ni’n garcharorion yma, am ddiwrnod cyfan. Dyw e ddim yn deg! Creulondeb i blant yw peth fel hyn!’

‘Hei,’ chwarddais, ‘dyw pethau ddim mor ddu â hynna. Feddyliwn ni am rywbeth. Nawr ’te, wyt ti angen tipyn o ymarfer dringo drwy ffenestri cyn i mi fynd i gael brecwast?’

‘Na, dwi’n iawn,’ atebodd. ‘Arhosa i nes doi di’n ôl.’

‘Iawn,’ atebais, gan wisgo fy nghôt wely amdanaf. ‘Gobeithio galla i ddod â rhywbeth i’w fwyta i ti.’

A chan gau’r drws yn ofalus, es yn ôl i ’mywyd go iawn.

* * *

Ar ôl brecwast, gofynnodd Mam i mi, ‘Wyddost ti pa ddiwrnod yw hi heddiw, Megan?’

‘Hmm, tybed?’ atebais yn goeglyd. ‘Dydd Mercher, falle?’

Ro’n i’n gwybod yn iawn, wrth gwrs. Roedd

dydd Mercher yn bwysig, yn nodi hanner ffordd drwy'r wythnos. Dim ond am ddau ddiwrnod arall fyddai Alys yn gorfod cuddio.

Aeth Mam yn ei blaen. 'Wel, mae'r grŵp Ti a Fi am hanner awr wedi deg, felly bydd Seren a fi'n mynd mas toc.'

Wrth glywed y geiriau, dechreuodd Seren neidio lan a lawr. Teimlwn innau fel gwneud yr un fath. Roedd y ffaith fod Mam yn mynd mas yn fonws annisgwyl.

'Hwrê!' llefodd Seren. 'Ti a Fi! Diod! Bisged!'

Druan â Seren – y grŵp Ti a Fi oedd yr unig le lle roedd hi'n cael yfed sgwash a bwyta bisgedi.

Chwarddodd Mam, a rhoi cwtsh i Seren. 'Pam na ddoi di gyda ni, Meg? Rwyt ti wastad yn hoffi chwarae gyda'r rhai bach,' meddai.

'Na, sai'n credu, Mam,' atebais. 'Dwi braidd yn hen i wneud y math yna o beth.'

'Gei di aros adre, 'te – ond dim cyfrifiadur, a dim teledu. Gei di dacluso a hwfro'r stafell fyw, iawn?'

'Iawn, Mam,' atebais gan wenu'n hapus. 'Gad ti bopeth i mi. Joiwch.'

Cododd Mam i nôl cotiau'r ddwy, a dechreuais innau lwytho'r peiriant golchi llestri er mwyn iddi weld pa mor dda o'n i'n gallu bod.

Cyn i'r ddwy fynd drwy'r drws, daeth Mam yn ôl i ofyn, 'Ti'n siŵr na faset ti'n hoffi dod?'

'Na, dim diolch. Fydda i'n iawn.'

'Iawn 'te. Cofia beth ddwedais i. Rhaid i mi wneud tipyn o siopa ar y ffordd adre, felly fyddwn ni ddim 'nôl tan tua un.'

Plygais fy mhen dros y peiriant golchi llestri rhag i Mam weld pa mor hapus o'n i o glywed hynny. Ac er bod fy ngwallt wedi mynd i mewn i un o'r bowlenni uwd, do'n i'n becso dim.

Cyn gynted ag roedd car Mam wedi diflannu i lawr y lôn, rhuthrais i'm stafell.

'Popeth yn iawn – dim ond fi sy 'ma!' dywedais mewn llais uchel, ac ar unwaith ymddangosodd Alys o dan y gwely. 'Ta-da!' llefais yn ddramatig. 'Ga i gyflwyno i ti, Alys Roberts, ryddid y tŷ hwn? Am ddwy awr a hanner hir cei di, Alys Roberts, grwydro'n rhydd o amgylch y cartref hwn heb orfod ofni cael dy ddal, na chael dy alltudio i Gaerdydd!'

Edrychodd Alys yn hurt arnaf. 'Reit, dim mwy o'r ddrama 'ma, plis. Jest dyweda wrtha i beth sy'n digwydd.'

'Mae Mam wedi mynd mas,' esboniais. 'Ry'n ni'n rhydd!'

Neidiodd Alys ar ei thraed. 'Yn rhydd ac yn

starfo!' llefodd. 'Arwain fi i'r gegin!'

Roedd yn deimlad od, eistedd yn y gegin yn gwylio Alys yn claddu dwy lond powlen o Weetabix a thri darn o dost. Bob ychydig funudau roedd hi'n codi o'i sedd ac yn cerdded o gwmpas, fel tasai hi heb fod mor rhydd erioed.

Bu'r ddwy ohonom wrthi fel lladd nadroedd am sbel, yn tacluso'r gegin cyn symud ymlaen i'r stafell fyw, rhag bod Mam yn cael lle i gwyno bod y gwaith heb ei wneud. Ar ôl sbel, stopiodd y glaw a buom yn chwarae pêl yn yr ardd gefn am ychydig, gan gadw'n ddigon pell o olwg y cymdogion.

Aethom yn ôl i mewn pan ailddechreuodd y glaw. Cefais innau syniad da – dois o hyd i hen fflasg yng nghefn un o'r cypyrddau. Ar ôl ei golchi, llenwais hi â dŵr berwedig a'i chuddio yn fy stafell fel bod modd i Alys gael potyn o nŵdls yn nes 'mlaen. Roedd hyd yn oed Alys yn llawn edmygedd.

Er y baswn i wedi hoffi aros yn fy stafell i wrando ar gerddoriaeth, doedd hynny ddim yn deg ar Alys, oedd wedi gweld mwy na digon o'r pedair wal dros y dyddiau diwethaf. Felly buom yn gorwedd ar lawr y stafell fyw ac yn chwarae Monopoly.

Gawson ni fore pleserus iawn. Am ychydig, gallem anghofio am y sefyllfa go iawn ac esgus bod bywyd yn syml fel roedd e erstalwm. Ro'n i'n hanner disgwyl i Alys neidio ar ei thraed a dweud ei bod yn hen bryd iddi fynd adre i gael cinio, gan addo bod 'nôl ymhen rhyw ugain munud. Neu falle byddai Mam yn galw o'r gegin, yn cynnig danteithion blasus – fel ffyn moron organig – i ni. Neu gallai Seren fynnu eistedd ar gefn Alys wrth iddi orwedd ar lawr, i chwarae 'Gee ceffyl bach'. Felly, yn ystod y gêm honno, ro'n i weithiau'n teimlo'n drist ac weithiau'n hapus.

Bob ychydig funudau ro'n i'n edrych ar fy watsh i wneud yn siŵr nad oedd hi'n amser i Mam a Seren gyrraedd adref. Dim ond pum munud wedi hanner dydd oedd hi pan laniais ar un o westai Alys. Neidiodd hithau ar ei thraed a bloeddio'n fuddugoliaethus, 'Grêt! Mae arnat ti fil o bunnau i mi!'

Ro'n i'n cyfri'r arian i weld a oedd gen i ddigon i dalu'r ddyled pan glywais sŵn cyfarwydd. 'O, na!' llefais yn sydyn.

Roedd hen gar swnllyd Mam newydd barcio o flaen y tŷ.

Pennod 17

Ar amrantiad, ro'n i mewn panig aruthrol. Sefais ar ganol y llawr yn fflapian fy mreichiau fel iâr oedd wedi yfed gormod o Coke. Gallai hyn arwain at y drychineb fwyaf a welwyd erioed yn y tŷ hwn. Er mwyn cyrraedd fy stafell wely, byddai'n rhaid i Alys redeg heibio'r drws ffrynt gwydr – a byddai Mam yn sicr o'i gweld.

'Dos i guddio! Nawr!' sibrydais.

'Cuddio? Ble?' holodd Alys mewn llais gwichlyd.

Edrychais o 'nghwmpas. Mewn stafell mor fach, doedd 'na fawr o ddewis, yn enwedig i ferch dal fel Alys. 'Tu ôl i'r soffa – brysia!' atebais.

Newydd fynd o'r golwg oedd hi pan gerddodd Mam i mewn yn cario Seren yn ei breichiau.

Eisteddodd ar y soffa. 'Doedd dim hwyl dda o gwbl ar hon heddiw,' meddai Mam. 'Rhaid ei bod hi'n torri dannedd.' Yna syllodd ar y gêm oedd dros y llawr i gyd. Do'n i ddim wedi cael cyfle i glirio.

'Beth yn y byd wyt ti wedi bod yn ei wneud, Megan? Pam y fath annibendod?'

'O,' ochneidiais, 'ar ôl gorffen y gwaith tŷ ro'n i'n chwilio am rywbeth i'w wneud. Penderfynais roi cynnig ar chwarae Monopoly ar ben fy hun i weld a oedd hynny'n bosib. Dyw e ddim.' Ac yna, ychwanegais, 'Ry'ch chi adre cyn i mi gael cyfle i gadw popeth.'

'Ydyn,' cytunodd Mam. 'Fedrwn i ddim wynebu'r archfarchnad gyda Seren mewn hwyliau drwg. Fe af i'n nes 'mlaen, pan fydd hi wedi cael tipyn o gwsg.'

Yn ffodus i mi, dechreuodd Seren sugno'i bawd, a phenderfynodd Mam fynd â hi'n syth i'w gwely. Cododd ar ei thraed yn araf, rhag tarfu arni. Doedd Mam ddim ond wedi cyrraedd gwaelod y staer pan glywson ni gloch y drws ffrynt yn canu. 'Ateba di, wnei di, bach?' galwodd Mam dros ei hysgwydd wrth ddringo'r staer.

Agorais y drws, a phwy oedd yno ond Mrs Cadwaladr, hen fenyw gas oedd yn byw ychydig lathenni i lawr y lôn. *Grêt!* meddyliais.

'Mae Mam lan staer gyda Seren,' dywedais wrthi, yn y gobaith y byddai'n mynd.

'O, 'na fe 'te. Fe ddof i mewn i aros.'

Arhosodd hi ddim am ateb, dim ond gwthio'n ddiseremoni heibio i mi ac eistedd yn drwm ar y soffa. *Rhaid bod Alys druan wedi teimlo hynna,* meddyliais.

Yn fuan, cerddodd Mam i mewn. 'O, shwmai, Ceinwen,' meddai. 'Braf dy weld di.'

Hy! I feddwl bod Mam yn grac os bydda i'n dweud celwydd! Ro'n i'n sicr ei bod hi'n casáu Ceinwen Cadwaladr â chas perffaith!

Setlodd Mrs Cadwaladr ei hun yn fwy cyfforddus ar y soffa. 'Wel, nid dim ond galw heibio i ddweud helô ydw i, Hafwen. Dwi yma i drafod mater a godwyd yn y Cyngor Bro.'

Ac aeth hi 'mlaen a 'mlaen am tua hanner awr am bethau fel baw cŵn, a phobl oedd yn mynnu parcio mewn llefydd twp. Eisteddais innau'n dawel yng nghornel y stafell ac esgus 'mod i'n darllen. Er na fedrwn i wneud dim i helpu Alys, fedrwn i ddim rhywsut ei gadael ar ei phen ei hun.

O'r diwedd, caeodd Mrs Cadwaladr ei cheg am ychydig. Cododd ar ei thraed a cherdded at y drws. Safodd yn ei hunfan a syllu ar Mam dros ei sbectol drwchus. 'Fyddwch chi'n gweld Gwyn druan drws nesa weithiau?' holodd.

Dechreuais wrando'n astud. Gwyn oedd enw tad Alys.

'Na, anaml iawn y bydda i'n ei weld e,' atebodd Mam.

Tynodd Mrs Cadwaladr anadl ddofn cyn dechrau rhefru. 'Wel wir, druan ag e. Sut gallai'r Lisa ofnadwy 'na symud i ffwrdd a'i adael, dwn i ddim. Wrth gwrs, does gan neb fawr o feddwl ohoni hi. Fe gymerais i yn ei herbyn y diwrnod y symudodd hi yma. Doedd Aber byth yn ddigon da iddi hi – merch y ddinas oedd hi, yn sicr, gyda'i dillad drud a'i cholur ffansi. Roedd hi wastad yn meddwl ei bod hi'n well na ni. Gwynt teg ar ei hôl hi. Ry'n i i gyd yn well ein byd hebddi hi yn y stryd 'ma.'

Ro'n i'n eistedd yn fy nghadair yn methu symud modfedd. Yr unig beth oedd ar fy meddwl oedd Alys druan, yn gorfod gwrando ar Mrs Cadwaladr yn dweud pethau ofnadwy am ei mam. Petai hwn yn ffilm arswyd, byddai Alys yn neidio o'i chuddfan, taro Mrs Cadwaladr ar lawr, a chrafu'i llygaid o'i phen. Yn ffodus i Mrs C, bywyd go iawn oedd hwn – ac arhosodd Alys yn ei hunfan.

Syllais ar Mam, gan wybod ei bod o'r un farn â Mrs Cadwaladr am fam Alys – ond a allwn i ddibynnu arni i beidio dweud gair yn ei herbyn? Daliais fy anadl. Roedd Mrs Cadwaladr hefyd yn amlwg yn aros am ateb.

Siaradodd Mam o'r diwedd. 'Wel, Ceinwen,' meddai. 'Dwi'n trio peidio gweld bai ar bobl eraill. Yn bersonol, dwi erioed wedi cael problem gyda Lisa. Mae hi wastad yn glên iawn.'

Gallwn yn hawdd fod wedi cerdded draw at Mam a rhoi cwtsh iddi, ond byddai hynny'n gwneud iddi fy amau. Yn amlwg, doedd Mrs Cadwaladr ddim yn hapus o weld bod rhywun yn anghytuno â hi.

'O wel, mae'n amlwg ei bod yn hen bryd i mi fynd,' meddai. 'Hwyl fawr i chi'ch dwy.' Ac i ffwrdd â hi, gan roi clep i'r drws ar ei hôl.

Aeth Mam lan staer i wneud yn siŵr bod Seren yn iawn. Es innau i'r stafell fyw a helpu Alys allan o'i chuddfan. Rhedodd y ddwy ohonom i'm stafell wely i a chau'r drws ar ein holau.

Eisteddodd Alys ar y gwely, a gallwn weld bod geiriau Mrs Cadwaladr wedi ei hypsetio. Gafaelais amdani, a dweud, 'Paid â chymryd sylw o unrhyw beth ddwedith yr hen wrach 'na.

Mae hi'n eiddigeddus am fod dy fam mor bert ac mor smart.'

'Ti'n iawn, sbo,' sibrydodd Alys. 'Diolch byth fod dy fam di wedi amddiffyn fy mam i. Mae'n dda gwybod bod ganddi rywfaint o ffrindiau ar ôl yn y lle 'ma.'

Nodiais, gan wybod yn ddistaw bach bod Mam ddim ond yn amddiffyn Lisa oherwydd ei bod yn hoffi gwneud Mrs Cadwaladr yn grac.

'W'st ti, Meg,' meddai Alys yn sydyn, 'dwi ddim yn becso beth ddwedith neb. Yr unig beth sy'n bwysig yw ein bod ni'n gwneud yn siŵr bod y cynllun 'ma'n gweithio, ac y bydd Mam yn cael digon o sioc i'w pherswadio i symud 'nôl i Aber.' Tynnodd ei sgidiau a gorwedd ar y gwely. 'Beth wnawn ni nesaf?'

Eisteddais yn ei hymyl a dweud, 'Aros fan hyn a chadw mas o drwbwl, dwi'n credu. Ry'n ni wedi cael digon o fraw am un diwrnod!'

'Ti'n iawn,' cytunodd Alys. 'Gawn ni bnawn bach tawel 'da'n gilydd.'

Weithiau, mae'n arswydus pa mor anghywir y gall rhywun fod.

Pennod 18

Tua dau o'r gloch oedd hi, ac Alys a minnau'n eistedd ar y gwely yn chwarae cardiau, pan ganodd cloch y drws ffrynt.

'Dos di, Meg. Dwi ar ganol tacluso stafell Seren,' galwodd Mam.

'Iawn, Mam,' ochneidiais, gan obeithio nad yr hen wrach oedd wedi dod yn ôl i hel clecs. Ro'n i wedi cael llond bol arni hi.

Wrth gerdded tuag at y drws, gallwn weld siâp dau oedolyn drwy'r gwydr. Falle bod Mrs Cadwaladr wedi dod â rhywun gyda hi i'w chefnogi. Neu falle ei bod am orfodi Mam i weithredu ar ran yr Is-bwyllgor Parcio. Ar y llaw arall, falle taw cynrychiolwyr rhyw blaid wleidyddol oedd yn galw i ofyn am bleidlais yn yr etholiad.

Roedd pob math o syniadau'n mynd rownd a rownd yn fy mhen wrth i mi droi'r allwedd ac agor y drws. Bu bron i mi lewygu oherwydd yno'n sefyll yn y cnawd roedd . . . neb llai na rhieni Alys! A doedden nhw ddim yn edrych yn hapus. I'r gwrthwyneb, roedden nhw'n amlwg yn grac iawn.

Syllais i arnyn nhw. Syllon nhw arna i. Ro'n i'n teimlo'n swp sâl. Byddai'n well gen i fod yn unrhyw le arall. Yn yr ysgol. Yn y ddeintyddfa. Ar y stryd yn cael fy mhoenydio gan Mirain Mai. Unrhyw le heblaw ar stepen drws fy nghartref, yn aros i 'mywyd chwalu'n ulw o 'nghwmpas.

O'r diwedd, siaradodd Lisa, mam Alys. Roedd ei llais yn oeraidd a phigog. 'Ble mae Alys?' gofynnodd.

'Alys?'

'Ie, Alys. Fy merch i.'

Pesychodd tad Alys cyn dweud, 'Ein merch *ni*, mewn gwirionedd.'

Sefais yn fy unfan am eiliad, fy ngheg yn agor a chau fel ceg pysgodyn. Ro'n i mewn cymaint o sioc, fedrwn i ddim meddwl am unrhyw beth i'w ddweud. 'Ymmm . . . wel . . . mae . . .' baglais.

'A phaid â thrafferthu meddwl am ryw gelwydd,' meddai Lisa. 'Dim ond gwastraffu amser fyddet ti. Ry'n ni'n gwybod ei bod hi yma. Dos i'w nôl hi. Nawr.'

Doedd gen i fawr o ddewis. 'Iawn,' sibrydais, cyn mynd i'm stafell wely a Lisa'n dilyn yn glòs wrth fy sodlau.

Eisteddai Alys ar y gwely, ei hwyneb yn welw. Roedd hi'n amlwg wedi clywed llais ei mam, a sylweddoli nad oedd pwynt ceisio cuddio o dan y gwely.

'Haia, Mam,' mentrodd mewn llais bach.

Ddywedodd ei mam 'run gair, dim ond cydio yn ei braich a'i llusgo at y drws ffrynt. Dilynais innau, heb wybod beth i'w ddweud na'i wneud. Ymddangosodd Mam ar dop y staer, ei breichiau'n llawn o ddillad gwely yn barod i'w rhoi yn y peiriant golchi. 'Pwy oedd wrth y drws, Meg?' gofynnodd cyn gweld y pedwar ohonom yn sefyll yn y cyntedd.

Bron yn reddfol, gollyngodd Mam y dillad gwely a defnyddio'i llaw i geisio tacluso'i gwallt – rhywbeth do'n i erioed wedi ei gweld yn ei wneud o'r blaen. Ond gwastraff amser oedd e, ta beth. Roedd hi'n dal i edrych fel petai wedi bod yn sefyll ar lan y môr mewn corwynt. Yna gwnaeth i mi deimlo hyd yn oed yn fwy annifyr trwy gamddarllen y sefyllfa'n llwyr.

'Lisa, Gwyn, hyfryd eich gweld chi. Helô, Alys, wyt ti wedi dod 'nôl am gwpwl o ddyddiau? Bydd Megan yn falch iawn – mae hi wedi dy golli di'n ofnadwy. Nawr dewch i mewn, bawb, i ni gael paned. Mae gen i ddewis da o de llysieuol, heb ddim caffîn yn agos atyn nhw.'

O'r olwg ar wyneb Lisa, roedd hi'n amlwg yn credu bod Mam yn gwbl honco bost. 'Dim diolch, Hafwen. Nid galw am baned wnaethon ni. Wyddet ti fod y ddwy ferch 'ma wedi'n twyllo ni i gyd?'

Edrychodd Mam arna i. 'Beth yn union sy'n mynd 'mlaen, Megan?' gofynnodd mewn llais oeraidd.

Doedd dim rhaid i mi ateb. Gwnaeth Lisa hynny yn fy lle. 'Dwi'n cymryd, o weld dy ymateb di, Hafwen, nad oedd gen ti syniad fod

Alys yma, yn dy gartre di?'

Ysgydwodd Mam ei phen yn wan, ac aeth Lisa yn ei blaen. 'Wel, mae'r sefyllfa'n waeth nag o'n i wedi'i feddwl, hyd yn oed,' meddai. 'Mae'n amlwg fod Alys wedi bod yn cuddio.'

Fel arfer, roedd Mam yn siarp iawn – ond y tro hwn roedd hi'n methu'n lân â deall y sefyllfa. 'Cuddio? Ond . . .' baglodd gan syllu ar Alys.

'Roedd hi i fod yng Nghaerdydd gyda Jac a fi, ond yn lle hynny roedd hi'n cuddio – yma.'

Er bod Mam yn dal i edrych yn ddryslyd, roedd hi'n amlwg yn meddwl ei bod yn deall y sefyllfa. 'O, wela i,' meddai. 'Roeddet ti'n cuddio drws nesa, tra bod dy dad yn y gwaith. Mae'n rhaid bod dy fam wedi gwneud ei hun yn sâl yn becso amdanat ti.'

Roedd wyneb Lisa'n dechrau troi'n lliw pinc hyll. 'Nage, Hafwen. Doedd hi *ddim* yn cuddio drws nesa – roedd hi'n cuddio *yma*, yn dy gartre di. Mae'n amlwg yn sioc i ti bod fy merch wedi treulio'r dyddiau diwethaf yn cuddio dan dy do di. Duw a ŵyr sut llwyddodd hi i wneud hynny heb i ti sylwi!'

Syllodd Mam arna i. 'Ydy hyn yn wir, Megan?' sibrydodd.

Nodiais yn drist.

'Ond pam? Taset ti ddim ond wedi gofyn, byddai croeso i Alys aros yma. Doedd dim angen iddi hi guddio.'

'Fyddwn i byth wedi caniatáu hynny,' meddai mam Alys yn oeraidd. 'Yng Nghaerdydd mae ei chartre hi nawr. Gyda fi mae lle Alys. Dwi'n byw bywyd prysur iawn yn y ddinas. Mae gen i bethau gwell i'w gwneud na gwastraffu amser yn teithio'r holl ffordd yma i nôl fy merch anufudd. Mae'r holl fusnes wedi bod yn anghyfleus iawn.'

Ro'n i'n teimlo'n wirioneddol grac. Roedd byd Alys druan yn chwalu o'i chwmpas, a doedd ei mam yn meddwl am neb ond amdani hi'i hun. Bywyd prysur, wir! Mae'n debyg ei bod wedi gorfod canslo apwyntiad trin gwallt, neu sesiwn peintio'i hewinedd neu rywbeth tebyg. Gallwn yn hawdd fod wedi ei tharo, neu sathru ar ei throed – ond gan 'mod i mewn digon o drwbwl yn barod, llwyddais i wrthsefyll y demtasiwn.

Y funud honno, cerddodd Seren yn gysglyd i lawr y staer. 'Alyth!' meddai, gan ddal ei breichiau allan. Ond chymerodd Alys fawr o sylw ohoni. 'Alyth! Alyth! Lan!' mynnodd y fechan, ac yn y diwedd cododd Mam hi a rhoi cwtsh iddi.

Fedrwn i ddim edrych ar neb. Roedd yn gwbl

amlwg fod ein cynllun mawr wedi methu'n drychinebus. Gwastraff amser oedd y cyfan. Doedd dim gobaith y byddai Alys byth yn symud 'nôl i Aber. Hyd yn oed tasen ni wedi llwyddo i'w chuddio am wythnosau, fyddai dim byd wedi newid meddwl ei mam.

Ac yn sydyn dechreuodd y dagrau lifo i lawr fy wyneb. Er bod gan Alys fwy o reswm na fi dros lefain, safai'n ddistaw rhwng ei rhieni heb ddweud gair o'i phen. Erbyn hyn, roedd patsyn gwlyb ar flaen fy nghrys. Gafaelodd Mam yn fy ysgwydd a'i gwasgu'n ysgafn. Rhoddodd hynny dipyn o blwc i mi.

Tynnais anadl ddofn, a dechreuodd y geiriau lifo o 'ngheg. 'Yr unig beth oedden ni eisiau oedd bod Alys yn cael dod yn ôl i Aber. Dyw e ddim yn deg ei bod hi'n gorfod byw yng Nghaerdydd. Yma mae ei ffrindiau i gyd. Mae ei thad yn byw yma. Fan hyn ddylai hi fod yn mynd i'r ysgol. Dyma'i chartre hi. Ddylai hi ddim gorfod symud. Mae'r holl beth mor greulon.' Edrychais drwy fy nagrau ar Lisa. 'Sut gallwch chi wneud hyn iddi hi? Tasech chi'n caru Alys, fyddech chi ddim yn ei gorfodi i symud.'

Caeais fy ngheg yn sydyn. Do'n i ddim yn difaru dweud y geiriau, ond yn becso'n fawr beth fyddai'n digwydd nesaf.

Camodd Lisa tuag ataf, ei sodlau uchel yn clic-clacian ar y llawr pren. Cododd un llaw, a sylwais fod ei hewinedd wedi'u peintio â streipiau du a gwyn hollol berffaith. Am funud, ro'n i'n meddwl ei bod ar fin fy nharo, ond tynnodd ei llaw yn ôl. 'Dwy ferch hynod dwp, anaeddfed a hunanol y'ch chi, Alys a Megan. Dy'ch chi'n meddwl am neb ond chi'ch hunain.'

Yn union fel chi, 'te, yr hen sguthan, meddyliais. Trwy ryw wyrth, llwyddais i beidio ag ynganu'r geiriau.

'Dere, Alys,' meddai Lisa'n dawel. 'Dere gyda fi.'

Ac ar hynny, gafaelodd ym mraich Alys a'i thynnu i lawr llwybr yr ardd tuag at y tŷ drws nesa.

'Ta-ta, Alyth,' meddai Seren. Ond atebodd Alys ddim.

Roedd Gwyn, tad Alys, yn dal i hofran yn annifyr yn y cyntedd. 'Mae'n wirioneddol flin gen i am hyn,' meddai Mam wrtho. 'Dwi'n addo i ti, doedd gen i ddim syniad beth oedd yn digwydd.'

Gwenodd Gwyn ryw wên fach flinedig. 'Deall yn iawn, Hafwen. Nid arnat ti na Megan mae'r bai. Mae Alys yn benderfynol iawn, ti'n gwybod, ac mae'r symud wedi bod yn anodd iawn iddi hi. Yn anodd i ni i gyd, mewn gwirionedd. Ry'n ni . . .' Tawodd yn sydyn. 'Wel, gwell i mi fynd drws nesa i weld beth sy'n digwydd, sbo.' Ac ro'n i'n cael y teimlad y byddai'n llawer gwell ganddo fod wedi aros yn ein tŷ ni, oedd yn glyd ac yn ddiogel.

'Cyn i ti fynd, sut oeddet ti'n gwybod bod Alys yma?' holodd Mam.

'Es i draw i'r clwb tennis i gael diod bach neithiwr, a digwyddodd un o'r bois sôn bod ei ferch wedi gweld Megan ac Alys yn Aber pnawn ddoe. Wrth gwrs, dwedais i nad oedd hynny'n bosib, a bod Alys yng Nghaerdydd gyda'i mam. Ond wedyn ces alwad ffôn gan Lisa bore 'ma yn holi sut oedd Alys, a gofyn oedd hi'n teimlo'n well. Wrth gwrs, fuon ni ddim yn hir yn rhoi dau a dau gyda'i gilydd. Roedd Lisa'n gandryll – wel, roedd hynny'n eitha amlwg gynnau – felly gadawodd Jac gyda ffrind a gyrru yma ar unwaith. Fe fyddan nhw'n siŵr o gychwyn yn ôl yn fuan.'

Edrychodd Mam arna i a gofyn, 'Ydy Alys wedi gadael ei stwff yn dy stafell di?'

Nodiais.

'Dos i'w pacio nhw ar unwaith a'u rhoi nhw i Gwyn,' meddai'n dawel.

Ddywedais i 'run gair. Ymhen ychydig funudau ro'n i wedi rholio sach gysgu Alys yn daclus a phacio'i dillad yn y bag. Sgrifennais nodyn byr ati.

Hwyl, Alys. Trueni nad yw pethe wedi gweithio mas. Gobeithio na fyddi di mewn gormod o drwbwl. Fe fydda i'n dy golli di. Meg x

Cwympodd deigryn neu ddau ar y papur, ond doedd gen i ddim amser i sgrifennu nodyn arall. Gwthiais ef i mewn o dan y dillad, a chau'r bag.

Cymerodd Gwyn y bag o'm llaw, a ffarwelio. Caeodd Mam y drws ar ei ôl. Edrychodd arna i heb ddweud gair. Roedd rhyw olwg ryfedd, ddieithr, ar ei hwyneb. Meddyliais am yr holl gelwyddau ro'n i wedi eu dweud wrthi dros y dyddiau diwethaf.

'Falle y dylwn i fynd i'm stafell am sbel,' dywedais yn dawel.

'Falle'n wir y dylet ti,' atebodd. 'Fe gawn ni sgwrs hir pan ddaw Dad adre.'

Gorweddais ar fy ngwely a syllu ar y fflasg o ddŵr berwedig ar sil y ffenest, yn barod i wneud te i Alys. Doedd mo'i angen arni hi nawr.

Ymhen sbel, gallwn glywed lleisiau'n dod o'r

tu allan. Es i'r cyntedd ac agor y drws ffrynt. Roedd Alys a'i mam ar fin cychwyn yn ôl yn y car, a'i thad yn sefyll yn benisel ar stepen y drws. Yn sydyn, trodd a mynd yn ôl i mewn.

Doedd Alys ddim yn llefain, ond roedd hi'n welw iawn ac yn amlwg yn torri'i chalon. Edrychodd drwy ffenest y car a 'ngweld i. Cododd ei llaw am eiliad, a gwnes innau 'run fath. Roedd Lisa'n amlwg yn dweud rhywbeth wrthi, ond daliai Alys i edrych arna i. Bu'r ddwy ohonom yn codi llaw nes bod y car wedi mynd o'r golwg.

Es yn ôl i'm stafell wely i aros i Dad gyrraedd adre.

Pennod 19

Ro'n i ar bigau'r drain, yn methu setlo i wneud dim. O'r diwedd, clywais y drws ffrynt yn agor. Bu Dad a Mam yn siarad yn ddistaw yn y cyntedd am sbel, cyn mynd i'r stafell fyw. Roedden nhw yno am oesoedd – ac ro'n i'n gwybod yn iawn eu bod yn siarad amdana i.

Ymhen hir a hwyr curodd rhywun ar ddrws fy stafell wely. Mam, Dad a Seren oedd yno. *Grêt*, meddyliais. *Cynhadledd Deuluol. Y thema: Am faint o amser y dylen ni gosbi Megan? Rhoddir ystyriaeth i unrhyw gynnig dros 30 mlynedd.*

Pwyntiau i'w trafod:
1. Ddylai hi gael cystadlu yn Eisteddfod yr Urdd?
2. Ddylai hi gael caniatâd i wylio'r teledu ar unrhyw adeg rhwng nawr a seremoni agoriadol Gêmau Olympaidd 2050?
3. Ddylai hi gael caniatâd i fynd i barti i ddathlu ennill gradd prifysgol?
4. Ddylai hi gael ffôn symudol rywbryd cyn ei phen blwydd yn 100 oed?

Eisteddais ar y gwely, a daeth Mam a Dad i eistedd o boptu i mi. Oedden nhw'n ofni 'mod i'n mynd i drio dianc? I ble'r awn i? Do'n i ddim yn debygol o ddianc i Gaerdydd a chuddio o dan wely Alys nes 'mod i'n ddigon hen i fynd i'r coleg, nag o'n i?

Eisteddodd Seren ar y llawr i chwarae gyda fy mlwch gemwaith. Gwagiodd y cynnwys, ond do'n i ddim yn becso. Roedd pethau pwysicach i fecso amdanyn nhw na gweld fy mwclis a 'nghlustdlysau'n un pentwr anniben ar y llawr.

Mam siaradodd gyntaf. 'Oes gen ti unrhyw beth i'w ddweud, Megan?' gofynnodd.

Ro'n in casáu'r dacteg honno – teimlwn dan anfantais o'r eiliad gyntaf un. Penderfynais taw dweud cyn lleied â phosib fyddai orau. 'Mae'n flin 'da fi, Mam . . . a Dad.'

'Dyna'r cyfan sy gen ti i'w ddweud?' holodd Dad.

'Beth arall alla i ddweud? Mae'n wir flin 'da fi. Wel . . . eitha blin ta beth. Dy'ch chi ddim yn gweld? Wnes i ddim ond cytuno oherwydd 'mod i'n colli Alys gymaint. Ac mae hi'n fy ngholli i. Fan hyn ddylai hi fod, nid mewn rhyw fflat ddiflas yng Nghaerdydd. Fan hyn mae hi'n perthyn, ac ry'n ni eisiau iddi hi ddod 'nôl yma. Ydy hynny'n beth drwg?'

'Nag yw, bach,' atebodd Mam yn dawel. 'Ond ddylet ti ddim ymyrryd ym mywydau pobl eraill. Roedd hynny'n beth twp i'w wneud. Gallai rhieni Alys yn hawdd fod wedi cysylltu â'r heddlu – a byddai hynny wedi arwain at bob math o broblemau.'

Ymunodd Dad yn y sgwrs. 'Rhaid i rieni Alys fyw eu bywydau fel maen nhw'n ei weld orau, ac er bod hynny'n dy wneud di'n drist does dim llawer y galli di wneud. Mae'n anodd, dwi'n gwybod, ond fel'na mae bywyd. Fe fyddi di'n deall yn well pan fyddi di'n hŷn.'

Roedd gan Mam a Dad lot i'w ddweud. Lot fawr. Ac fe fuon nhw wrthi am hydoedd yn ei ddweud, gan sôn am gyfrifoldeb, aeddfedrwydd a'r math yna o beth. Ond chwarae teg, doedden nhw ddim yn grac, nac yn codi'u lleisiau.

Ond ar ôl rhyw ugain munud o 'drafodaeth aeddfed', ro'n i wedi cael llond bol. Dechreuais feddwl y byddai cael y ddau'n gweiddi arna i am bum munud, a chael cosb go iawn, yn well na'r diflastod yma.

O'r diwedd, penderfynodd Mam a Dad sut i 'nghosbi. Roedd yn rhaid i mi wagio'r peiriant golchi llestri bob dydd am wythnos, a hwfro'r tŷ cyfan bob tri diwrnod am fis. Fedrwn i ddim credu fy lwc – ro'n i'n gwneud y pethau hynny, a mwy, y rhan fwyaf o'r amser beth bynnag.

Cododd Mam a Dad, yn barod i fynd allan o'm stafell. 'Paid â phoeni, Meg,' meddai Dad yn glên gan afael yn ysgafn yn fy mraich.

Syllodd Mam arna i cyn dweud, 'Weithiau, mae'n rhaid i rywun gael ei weld yn gwneud rhywbeth.' Caeodd y drws ar ei hôl gan fy ngadael i bendroni beth oedd ystyr ei geiriau.

Penderfynais yn y diwedd mai'r hyn roedd Mam yn ceisio'i ddweud oedd bod yn rhaid iddyn nhw allu dweud 'mod i wedi cael fy nghosbi, rhag ofn y byddai rhieni Alys yn gofyn sut roedden nhw wedi delio â'r sefyllfa.

Chwarae teg, doedden nhw ddim yn rhieni rhy wael wedi'r cyfan. Iawn, mewn byd delfrydol byddai'n dda cael rhieni oedd yn fwy hael gyda'r siocled a'r teclynnau electronig, ac yn llai hoff o lysiau organig a gwaith tŷ – ond fedrwch chi ddim cael popeth yn yr hen fyd 'ma.

Amser swper, eisteddodd y pedwar ohonom i fwynhau fy hoff bryd – pasta gyda chyw iâr. Wrth i mi fwyta, teimlwn yn falch na fyddai raid i mi sleifio'n ôl i'm stafell wely i baratoi nŵdls i Alys. Ac yn hytrach na threulio ugain munud yn dringo mewn a mas o ffenest y stafell molchi, ro'n i'n edrych 'mlaen at orwedd ar y soffa'n gwylio'r teledu gyda gweddill y teulu.

Ond, yn sydyn, teimlwn yn euog iawn.

Cyn mynd i'r gwely, gofynnais i Mam a gawn i edrych i weld oedd 'na e-bost wedi cyrraedd i mi. 'Cei, bach,' atebodd, 'ond paid â bod yn rhy siomedig os na fydd neges oddi wrth Alys. Synnwn i ddim na fydd ei mam wedi'i gwahardd hi rhag defnyddio'r cyfrifiadur.'

Ond, wir i chi, roedd 'na neges yn aros amdana i. Un hir.

Haia Megan,
Mae gen i newyddion da a newyddion drwg. Y newyddion drwg yw 'mod i wedi cael fy ngwahardd rhag anfon e-bost atat am bedair wythnos. Y newyddion da yw fod Mam yn mynd i ymarfer ioga dair noson yr wythnos, a fydd hi ddim callach 'mod i'n defnyddio'r cyfrifiadur. Mae Jac yn cysgu, felly does dim angen becso amdano fe.

Gobeithio na chest ti amser rhy ddrwg. Dwi'n gwybod 'mod i wedi cynnig cymryd y bai i gyd, ond pan gyrhaeddodd Mam a Dad ro'n i wedi cael cymaint o fraw nes anghofio popeth ddwedais i. Unwaith roedden ni yn nhŷ Dad, fe ffrwydrodd Mam a bu'n gweiddi a sgrechian am hydoedd.

Yna fe ddechreuodd hi feio Dad, gan ddweud pethau ofnadwy wrtho fe fel taswn i ddim yno. Ro'n i'n ysu eisiau dweud wrtho am ddal ei dir, ond ro'n i'n rhy ofnus. Wedyn, dechreuodd Mam ar un o'i hareithiau 'druan ohono i' arferol. Dwedodd wrth Dad, 'Ar ôl popeth dwi wedi'i wneud i'r teulu yma, sut gallet ti wneud y fath beth i mi?'

Ac yna, digwyddodd rhywbeth ffantastig. Dyw Dad byth fel arfer yn colli'i limpin, ond fe wnaeth y tro hwn. Dwedodd wrth Mam, 'Yr unig beth rwyt ti wedi'i wneud i'r teulu yma yw ei ddifetha. Ac os bydd Alys a Jac yn diweddu lan mewn canolfan i droseddwyr ifanc, arnat ti fydd y bai.' Aeth ymlaen ac ymlaen, yn ei galw'n hen snoben, a gwaeth, a dweud ei fod am roi ei droed i lawr unwaith ac am byth. Os na fyddai Mam yn gadael i Jac a fi ddod i Aber bob yn ail benwythnos, byddai'n ei llusgo drwy'r llysoedd a dweud wrth bawb nad oedd hi'n ffit i fod yn fam.

Wel, roedd Mam yn syfrdan am sbel – roedd hi'n amlwg wedi cael braw. Fel y gwyddost ti, dyw hi ddim mor ddrwg ag roedd Dad yn ei ddweud, ond mae hi'n hoffi cael tipyn o ryddid yn ei bywyd. Galla i ddeall hynny. Yn y diwedd, gorfododd Dad hi i addo y bydden ni'n cael dod lan ymhen pythefnos, aros am wythnos gyfan dros Dolig, a dod sawl gwaith rhwng y ddau. Felly, Megan, ry'n ni wedi ENNILL!!!! Diolch i ti, galla i nawr dreulio lot o amser yn Aber. Er nad yw e cystal â symud 'nôl yno i fyw, doedd hynny ddim wir yn bosibilrwydd go iawn. Breuddwyd gwrach oedd e, yn anffodus.

Diolch i ti am dy neges. Ro'n i'n teimlo'n well ac yn waeth ar ôl ei darllen. Ond dyna ni – gallwn edrych 'mlaen at weld ein gilydd eto ymhen dim ond naw diwrnod. A'r tro hwn fydd dim rhaid i mi gysgu ar y llawr, na bwyta nŵdls sych, na dringo mewn a mas o ffenestri!

Hwrê!!!

Al x

Gan ei bod mor hwyr y nos, wnes i ddim ond anfon ateb byr.

```
Al – dyna'r newydd gorau yn y byd
i gyd.
                Meg x
O.N. Fyddi di byth yn ddim ond
atgof hapus o 'mhlentyndod.
```

Diffoddais y cyfrifiadur a mynd i 'ngwely. Daeth Mam i mewn i ddweud nos da. Fe wnaeth hi hyd yn oed dynnu fy nghoes trwy ofyn, 'Ddylwn i edrych o dan o gwely heno, rhag ofn bod rhywun yn cuddio yno?'

'Na, dim ond fi sy 'ma, Mam, addo.'

Rhoddodd Mam sws i mi cyn diffodd y golau a chau'r drws.

Roedd heddiw wedi bod yn ddiwrnod hir iawn.

Pennod 20

Mae'n ddydd Gŵyl San Steffan. Yn fuan, bydd Alys yn cyrraedd i aros gyda'i thad am ddeg diwrnod hir, hyfryd. Mae ei mam yn mynd i Sbaen am wyliau bach. Chwarddodd Mam pan glywodd hynny, gan ddweud mae'n rhaid ei bod yn braf cael gwyliau ar ôl yr holl brysurdeb ynghlwm â chael trin ei gwallt a'i hewinedd, a mynd i siopa. Ond sylweddolodd 'mod i'n gwrando, felly tawodd yn sydyn.

Reit, gwell i mi fynd 'nôl rai wythnosau i ddweud beth ddigwyddodd ar ôl yr helynt dros hanner tymor.

Roedd mynd i'r ysgol y bore Llun canlynol bron cyn waethed ag ym mis Medi. Ond, yn raddol, dechreuodd pethau wella dros yr wythnosau canlynol. Un diwrnod, sylwais nad oedd Gwawr a Lois, dwy o ffrindiau Mirain Mai, yn siarad gyda hi. Doedd gen i ddim syniad pam. Anfonais e-bost at Alys y noson honno i ddweud wrthi. Awgrymodd hi falle nad oedd y ddwy'n bowio'n ddigon isel o flaen Mirain Mai pan oedden nhw'n siarad gyda hi. Neu falle eu bod wedi anghofio canmol ei gwallt, neu ei chôt newydd, neu rywbeth. Do'n i ddim yn becso – roedd yn braf gwybod bod 'na o leiaf ddwy arall oedd yn sylweddoli nad Mirain Mai oedd y person mwyaf gwych a hyfryd yn y byd i gyd.

Y bore wedyn, penderfynodd Miss Meredydd symud rhai o'r disgyblion. Gosododd Mirain Mai nesaf at Nia, a chwarddodd pawb. Roedd Mirain Mai yn amlwg yn grac, ond ddywedodd hi 'run gair am nad oedd Miss Meredydd yn edrych yn rhy hapus chwaith.

Yna gosododd fi nesaf at Lois. Sbel yn ôl, byddwn wedi casáu hynny, ond erbyn hyn ro'n i'n sylweddoli ei bod hi'n eitha clên. Amser egwyl fe rannodd ei chreision gyda fi. A phan ddywedais jôc wrthi, fe chwarddodd yn uchel.

Ychydig ddyddiau ar ôl hynny, gofynnodd Miss i ni rannu'n grwpiau o dri ar gyfer gwneud prosiect hanes. Awgrymodd Lois y gallai hi, Gwawr a fi ffurfio un grŵp. Ro'n i wrth fy modd, ond yn ceisio bod yn cŵl ynghylch y peth. Penderfynon ni ar y Celtiaid fel thema, a buon ni'n gweithio'n galed ar y prosiect am bythefnos. Roedd Gwawr a Lois yn dod draw i'n tŷ ni bron bob dydd ar ôl yr ysgol, ac roedden ni'n defnyddio'r cyfrifiadur i chwilio am wybodaeth. Bob hyn a hyn roedd Mam yn dod â snac i ni – ffyn moron a seleri – a chwarae teg i'r ddwy arall, wnaethon nhw ddim chwerthin unwaith. Ar ôl i ni orffen y prosiect, aethon ni'n tair i gartref Gwawr i ddathlu gyda pizza. Roedd e'n hwyl.

Ar y dechrau, do'n i ddim yn gwybod beth i'w ddweud wrth Alys am fy ffrindiau newydd. Do'n i ddim am iddi deimlo'n eiddigeddus, na chwaith am iddi feddwl 'mod i wedi anghofio'n llwyr amdani hi.

Ond doedd dim angen i mi fecso. Roedd Alys yn falch nad o'n i bellach yn teimlo'n unig, heb ffrindiau. Roedd hithau'n teimlo'n well ynghylch gwneud ffrindiau newydd yng Nghaerdydd.

Un penwythnos, pan oedd Alys yn aros drws

nesa gyda'i thad, gofynnodd i mi, Gwawr a Lois fynd draw ati i dreulio'r fin nos. Buon ni'n gwylio DVD, yn chwarae gêmau ac yn edrych ar gylchgronau. Roedd hi'n noson grêt.

Y pnawn Sul hwnnw, pan oedd hi'n paratoi i fynd 'nôl i Gaerdydd, teimlwn yn drist drosti.

'Paid â becso,' meddai dan wenu. 'Fe fydda i'n iawn. Dwi wedi cael gwahoddiad i aros dros nos gyda ffrind nos Wener nesa, a phnawn dydd Sadwrn mae criw ohonon ni'n mynd i'r sinema. Fe fydda i'n dy golli di, ond 'sdim angen i ti fecso!' Rhoddodd gwtsh sydyn i mi. 'Ac fe fydda i'n ôl yma yr wythnos wedyn.'

Wrth i gar ei thad ddiflannu i'r pellter, trois yn ôl am adref heb deimlo'n drist.

* * *

A dyna'r hanes i chi. Dwi'n gobeithio y bydd Alys yn dal yn ffrind gorau i mi, hyd yn oed pan fyddwn ni wedi tyfu lan. Mae Gwawr a Lois yn ferched hyfryd, ond wnân nhw byth gymryd lle Alys. Ry'n ni'n dwy eisoes wedi penderfynu y byddwn ni'n mynd i'r un coleg, ac yn rhannu fflat. Mae Alys yn addo byw gyda fi am byth bythoedd – ar yr amod 'mod i byth eto'n ceisio'i pherswadio i fwyta potyn o nŵdls. Cytunais – ar yr amod ei bod hi'n cael help o rywle i stopio chwyrnu.

Mae Alys yn dweud nad yw hi'n bwriadu priodi, ar ôl gweld cymaint o lanast wnaeth ei rhieni o'u priodas nhw. Ond, os bydd hi'n newid ei meddwl, mae hi am i mi fod yn forwyn briodas iddi.

Dwi'n gobeithio y bydd Alys a fi'n dal yn ffrindiau gorau hyd yn oed pan fyddwn yn naw deg oed. Bryd hynny, byddwn yn shyfflan o gwmpas Cartref Gofal yr Henoed mewn cardigans brown di-siâp a sliperi fflyffi am ein traed, yn trafod pa fath o ffon gerdded yw'r orau.

Ond, tan hynny, dwi'n bwriadu mwynhau bywyd.

Ail gyfrol yn y gyfres hon o nofelau am y ffrindiau gorau – Megan ac Alys!

Alys Eto

addasiad Eleri Huws o

Alice Again, Judi Curtin

Judi Curtin
addasiad gan
Eleri Huws
Caffi Clyd
ALYS ETO
TOCYN SINEMA
1 PLENTYN
Dyddiadur